TERRA FANTASY

Zum Buch

Diese Anthologie ist der Versuch, die interessantesten Fantasy-Stories eines Jahres zusammenzufassen, Nachdrucke ausgenommen. Natürlich haften solch einem Unterfangen grundsätzlich zwei Vorwürfe an: einmal der der Unvollständigkeit, dann der der Subjektivität. Aber Lin Carter hat oft genug bewiesen, daß er einen ausgezeichneten Überblick über das Genre besitzt. Seine ADULT FANTASY-REIHE von Ballantine Books ist ein gutes Beispiel dafür, und seine FLASHING SWORD ANTHOLOGIES sind sicherlich Meilensteine im Bereich der Schwert-und-Magie-Erzählung.
Die vorliegende Anthologie beinhaltet einige der besten Fantasy-Stories des Jahres 1974, unter Berücksichtigung einigen Materials, das bereits 1973 erschien.

Zum Autor

Lin Carter wurde 1930 in St. Petersburg in Florida geboren. Er diente im Koreakrieg, danach ging er nach New York, wo er die Columbia-Universität besuchte. Sein erstes Buch wurde 1965 veröffentlicht. Es war der erste Roman der THONGOR-Serie, einer Sword & Sorcery-Serie, die in Lemurien angesiedelt ist. Inzwischen sind über fünfzig seiner Bücher publiziert worden: Fantasy, Science Fiction, Anthologien sowie Sekundärliteratur zu R. R. Tolkien und H. P. Lovecraft. Er hat – zusammen mit L. Sprague de Camp – einige von Robert E. Howards Fragmenten der CONAN- und KULL-Serie vollendet.

Lin Carter

Tempel des Grauens

VERLAG ARTHUR MOEWIG GMBH, 7550 RASTATT

Titel der Originalausgabe:

THE YEAR'S BEST FANTASY STORIES

Aus dem Amerikanischen von Lore Strassl und Susi Grixa

TERRA FANTASY-Taschenbuch erscheint alle zwei Monate
im Verlag Arthur Moewig GmbH, Rastatt

Umschlagillustration: Mehmet Güllergün
Umschlagentwurf und -gestaltung: Franz Wöllzenmüller, München
Vertrieb: Erich Pabel Verlag GmbH, Rastatt
Druck und Bindung: Elsnerdruck GmbH, Berlin
Verkaufspreis inklusive gesetzliche Mehrwertsteuer
Unsere Romanserien dürfen in Leihbüchereien nicht verliehen
und nicht zum gewerbsmäßigen Umtausch verwendet werden;
der Wiederverkauf ist verboten.
Alleinvertrieb und Auslieferung in Österreich:
Pressegroßvertrieb Salzburg, Niederalm 300,
A-5081 Anif
Einzel-Nachbestellungen sind zu richten an:
PV PUBLIC VERLAG GmbH, Postfach 510331, 7500 Karlsruhe 51
Lieferung erfolgt bei Vorkasse + DM 3,50 Porto- und Verpackungsanteil
auf Postscheckkonto 85234-751 Karlsruhe oder per Nachnahme
zum Verkaufspreis plus Porto- und Verpackungsanteil.
Abonnement-Bestellungen sind zu richten an:
PABEL VERLAG GmbH, Postfach 1780, 7550 Rastatt
Lieferung erfolgt zum Verkaufspreis plus ortsüblicher Zustellgebühr
Printed in Germany
Februar 1985
ISBN 3-8118-5803-3

VORWORT

THE YEAR'S BEST FANTASY STORIES

Diese Anthologiereihe ist der Versuch, die interessantesten Fantasy-Stories eines Jahres zusammenzufassen, Nachdrucke ausgenommen. Natürlich haften solch einem umfassenden Unterfangen grundsätzlich zwei Vorwürfe an: einmal der der Unvollständigkeit, dann der der Subjektivität. Daß Fantasy-Stories manchmal in recht obskuren Quellen zu finden sind, hat Terry Carr mit seinen Anthologien NEW WORLDS OF FANTASY gezeigt. Aber Lin Carter hat oft genug bewiesen, daß er einen ausgezeichneten Überblick über das Genre besitzt. Seine ADULT FANTASY REIHE von Ballantine Books ist ein gutes Beispiel dafür und seine FLASHING SWORDS ANTHOLOGIES sind sicherlich Meilensteine im Bereich der Schwert-und-Magie-Erzählung.

Die vorliegende Anthologie ist eine Sammlung der besten Fantasy-Stories des Jahres 1974, unter Berücksichtigung einigen Materials, das auch bereits 1973 erschien.

Fassen wir also die wesentlichen Fantasy-Ereignisse dieser beiden Jahre zusammen.

Am 2. September 1973 starb John Ronald Reuel Tolkien, der bedeutendste der modernen Fantasy-Autoren. Seine in viele Sprachen übersetzte und teilweise verfilmte Trilogie DER HERR DER RINGE (LORD OF THE RINGS, deutsch erstmals 1969 und 1970 im Ernst Klett Verlag) hat der Fantasy auf breitester Ebene Freunde gewonnen. Während seiner letzten Jahre arbeitete er an einer Vorgeschichte zu diesem Werk, das sein Sohn, Christopher Tolkien, posthum 1977 unter dem Titel THE SILMARILLION veröffentlichte. Kurz nach seinem Tode erschien ein Gedicht, FRODO'S FAREWELL TO MIDDLE EARTH.

Beim Weltcon 1974 in Washington D.C. wurde ein J. R. R. Tolkien Gedächtnispreis, der „Gandalf Award" für besondere Leistungen auf dem Gebiet der Fantasy ins Leben gerufen und erstmals an Tolkien selbst verliehen.

Für Schwert & Magie- und Conan-Fans war 1974 ein wenig erfreuliches Jahr, denn Lancer Books stellte die Produktion ein und das noch vor der Veröffentlichung des letzten Conan-Bandes CONAN OF AQUILONIA, der vier Novellen von L. Sprague de Camp und Lin Carter enthalten sollte. Vertragliche Bindungen verhinderten zusätzlich für mehrere Jahre eine Neuauflage der Conan-Bände. Erst 1977 brachte ACE Books den fehlenden Band heraus. Die Stories erschienen jedoch nach und nach in Ted White's Magazin *FANTASTIC*, das in diesen Jahren voll auf Fantasy und Schwert & Magie eingeschwenkt war.

Lancer Books war der wesentliche Verlag für actionbetonte Fantasyabenteuer. Sein Konkurs bedeutete für den Fantasy-Markt einen schweren Rückschlag.

Zudem kam es auch im Ballantine Verlag, der an Random House verkauft worden war, zu gravierenden Veränderungen. Der verstärkten Hinwendung zum Massenmarkt fiel als erstes die ADULT FANTASY REIHE zum Opfer. Die letzten von Lin Carter in dieser Reihe editierten Titel waren Evangeline Waltons vierter Mabinogion-Band *The Prince of Annwyn* und Katherine Kurtzs vierter Band des *Deryni*-Zyklus (beide sind auch in deutscher Sprache erschienen).

Trotz dieser Verlagsmiseren sind eine ganze Reihe ausgezeichneter Fantasywerke erschienen, allen voran Richard Adams Kaninchen-Epos *Watership Down* und Poul Andersons in Shakespeares phantastischen Stükken *The Tempest* und *A Midsummer Night's Dream* angesiedelter Roman *A Midsummer Tempest.*

An Fantasy-Magazinen gab es 1974 *FANTASTIC STORIES,* das seit 1952 existierende Schwesternmagazin von *AMAZING STORIES,* Mitte 1972 schwenkte es unter der Herausgeberschaft von Ted White auf den Fantasy-Trend ein (der Untertitel war nun Science-fiction and Fantasy, ab Frühjahr 1975 sogar *Sword & Sorcery and Fantasy).* Es blieb auf dieser Linie bis 1978, dann begann wieder Science-fiction zu überwiegen. Überhaupt veränderte sich das Magazin laufend über die Jahre. Ursprünglich als Horror-Magazin konzipiert (die ersten Nummern waren in phantastischer Aufmachung) wurde es in den späten fünfziger Jahren zu einem Science-fiction-Magazin. Anfang der sechziger Jahre wurde es ein Fantasy-Magazin, in dem unter anderem John Jakes' Geschichten um Brak den Barbaren und Fritz Leibers Stories um Fafhrd und den Grauen Mausling erschienen. Mitte der sechziger Jahre war es ein SF-Nachdruckmagazin, aus dessen staubigem Dasein es Ted White Anfang der siebziger Jahre für eine gute halbe Fantasy-Dekade holte.

1973 wurde auch ein Versuch unternommen, das klassische Horror-Fantasy Magazin *WEIRD TALES,* dessen Laufbahn 1923 begann und nach Glanzzeiten in den dreißiger und vierziger Jahren 1954 endete, unter der Herausgeberschaft von Sam Moskowitz weiterzuführen, doch gedieh das Projekt nicht über vier Ausgaben hinaus.

Eine Reihe kleinerer spezialisierter Verlage nahmen sich der Fantasy in den siebziger Jahren an, vor allem der des einstigen Buchhändlers Donald M. Grant, der illustrierte Buchausgaben von Robert E. Howards Stories herausbrachte.

Diese frühen siebziger Jahre waren auch der Beginn vieler abonnementgebundener, halbprofessioneller und nicht-professioneller Zeitschriften wie *WITCHCRAFT AND SORCERY, WHISPERS, oder Lin Carters KADATH*. Die wachsende Popularität Robert E. Howards brachte 1974 den Beginn einer wahren Schwemme von Howard-Fanzines und Zeitschriften. Vor allem möchte ich hier nennen: George H. Scithers' AMRA (seit 1959), Glenn Lords HOWARD COLLECTOR (seit 1961), George T. Hamiltons CROSS PLAINS (seit 1973), Jonathan Bacons FANTASY CROSSROADS (seit 1974).

DAW Books übernahm in dieser Zeit die Rolle des Hauptverlegers für neue Abenteuerfantasy mit Andre Nortons Hexenwelt, John Normans Gor-Romanen, Alan Burt Akers Prescot-Serie und Lin Carters Büchern.

Inzwischen hatten auch die Comics Robert E. Howard entdeckt. Die erweiterte Conan-Serie lief 1974 bereits in 3 Heften: CONAN THE BARBARIAN, CONAN GIANT-SIZE und SAVAGE TALES. Auch Kull hatte ein eigenes Magazin KULL THE CONQUEROR.

Werfen wir nun einen Blick auf den deutschen Markt von 1974:

Da sind vor allem drei Verlage zu nennen, die Anfang der siebziger Jahre Fantasy veröffentlichten. In der Hobbit-Presse des Ernst Klett Verlages erschien in einer teuren Buchausgabe Tolkiens Trilogie DER HERR DER RINGE. Im Wilhelm Heyne Verlag waren bis 1974 die CONAN-Serie von Robert E. Howard (soweit die Bände von Lancer Books erschienen waren), Fritz Leibers fünfbändiger (um einige Stories gekürzter) Zyklus um Fafhrd und den Grauen Mausling und einige Bände des GOR-Zyklus von John Norman erschienen.

1973 startete der Erich Pabel Verlag die von Günter M. Schelwokat konzipierte erste Fantasy Heftserie DRAGON -*Söhne von Atlantis,* der jedoch nicht der erwartete Erfolg beschieden war. Der Meinung des Autors dieser Zeilen und vieler Leser nach, wurde sie verfrüht abgebrochen. Sie wurde mit Band 55 1974 eingestellt.

Im Herbst desselben Jahres schlug jedoch auch die Geburtsstunde der TERRA-FANTASY-Reihe, der ersten deutschen Fantasy-Taschenbuchreihe, mit John Jakes erstem Band um Brak den Barbaren und Andre Nortons erstem Hexenweltabenteuer. Ihr war soviel Erfolg beschieden, daß bereits 1977 eine zweite Auflage gestartet wurde. Die Reihe hat sicherlich viel dazu beigetragen den Markt für Fantasy zu öffnen. Seit Ende 1984 ist sie wiederaufgelebt, bringt gute Neuauflagen, aber auch Originalausgaben

Seit 1966 gibt es im deutschen Sprachraum einen Fantasy Club, nämlich FOLLOW (Bund der Regenten einer Phantasiewelt, begründet von Eduard Lukschandl und Hubert Straßl). Der Club gab seit seiner Gründung mehrere Magazine heraus, von denen hier vor allem MAGIRA zu nennen ist, da es Fantasy-Stories und Artikel veröffentlichte. 1974 hatte es die Nummer 19 erreicht. Da ich selbst der Redakteur bin (das Magazin ist inzwischen bei Nummer 34 angelangt), veröffentlichte ich darin, soweit das auf kostenloser Basis möglich war, denn MAGIRA ist ja kein professionelles Magazin, Material, das mit TERRA-FANTASY-Autoren oder -Bänden in Zusammenhang stand, oder von dem ich annahm, daß es den TERRA-FANTASY-Leser interessieren würde, meist auch Material, das wenig Chancen hat, am professionellen Markt zu erscheinen:

Artikel, Gedichte, Fragmente, Illustrationen, Buchkritiken, Besprechungen der TERRA-FANTASY-Bände, Vorschau, etc.

1974 begründete der Club den ersten deutschen Fantasy-Preis: M E R L I N. Er wurde rückwirkend für die Veröffentlichung der CONAN-Serie, die Trilogie DER HERR DER RINGE und die Publikation der ersten Fantasy-Serie DRAGON verliehen. Für 1974 jedoch erhielt ihn Erich Pabel für die erste deutsche Fantasy Taschenbuchreihe TERRA FANTASY. Der Preis wurde vergeben für die Förderung der episch-phantastischen Literatur im deutschen Sprachgebiet.

Nicht unerwähnt soll in diesem Rückblick bleiben, daß seit 1970 der österreichische Verlag Heinz Pollischansky eine vierteljährlich erscheinende Paperbackausgabe von Hal Fosters Comic-Erzählung PRINZ EISENHERZ herausgab. Die Serie wurde zur ersten Gesamtausgabe dieser phantastischen Bilderzählung.

Trotz einiger Rückschläge also war 1974 kein allzu schlechtes Jahr für Fantasy-Fans. Die Zukunft hat gezeigt, daß es sowohl in Amerika, als auch in der Bundesrepublik der Startpunkt für einen gewaltigen Aufschwung war.

ARWENS STEIN
von
Marion Zimmer Bradley

Im Jahre von Osgiliaths Sturz erschienen große schwarze Orks aus Mordor, und wahrlich furchtbar war die Schlacht vor dieser Stadt. Zu jener Zeit war Boromir, der Sohn Denethors, der elfte Truchseß von Gondor, und ein mächtiger Feldherr, klug und tapfer im Kampf, gerecht und edelmütig, geliebt und gefürchtet. Boromir, so erzählt man, war der erste gewesen, der je den furchtbaren Hexenkönig, den Herrscher der Nazgul, herausforderte und versuchte, ihn mit dem Schwert zu verwunden.

Schrecklich war ihre Begegnung. Selbst starke Männer flohen wie Kinder oder verloren vor Furcht die Sinne. Aber Boromir floh weder, noch verzagte er. Kühn schwang er das Schwert und streckte das graueneinflößende Streitroß des Schwarzen Reiters nieder, ehe seine Klinge den schwarzen Mantel aufschlitzte, der das abscheuliche Nichts des Nazguls bedeckte. Schließlich floh der Hexenkönig vor ihm. Doch hatte Boromir in dieser Schlacht eine Wunde durch eine Morgulklinge davongetragen. So gering diese Verletzung anfangs erschien, begann sein Arm mit großen Schmerzen zu schrumpfen, und Boromir siechte dahin. Alle Erfahrung und alles Wissen der Heiler Gondors, obgleich ihrer viele waren, vermochten ihm nicht zu helfen. Doch während er krank in Minas Tirith lag, kam Mithrandir, der Graue Pilger, in die Stadt.

Schon immer hatten Boromir, den Truchseß, die seltenen Besuche dieses weisesten aller Ratgeber erfreut. Als Mithrandir hörte, daß der Tod nach Boromir zu

---

[1] Das war natürlich nicht der Boromir der Bruderschaft, sondern ein etwa vierzehn Generationen früherer Vorfahr

greifen schien, suchte er ihn auf und bat, die Klinge sehen zu dürfen, die dem Truchseß die Wunde zugefügt hatte. Aber als sie von jenem Ort geholt wurde, wo man sie aufbewahrte, war nur noch der Griff davon geblieben. Mithrandir blickte ernst drein und sagte: „Keine Macht in Gondor kann diese Wunde heilen."

Bei diesen Worten verzagten alle, denn Cirion, der Sohn Boromirs, war noch nicht alt genug, seines Vaters Thron zu übernehmen. Doch Mithrandir sagte, weit den Fluß Anduin hoch, in jenem als Lothlorien bekannten Wald, lebten jene, die ihm vielleicht helfen könnten. So legte man Boromir in ein Boot, und einige seines Gefolges begleiteten ihn. Der Fluß trug das Boot zur Furt von Nimrodel.

An der Furt von Silverlode (denn es war ihnen nicht bestimmt, das Tal von Lorien zu betreten), war Boromir nur noch ein blutloser Schatten seines Selbst, ohne die Kraft, auch nur den Kopf zu heben. Dort erwartete sie bereits der Elbenkönig.

Der Elbenkönig begrüßte die Reisenden freundlich und erklärte ihnen, man habe ihn zu ihrer Hilfe von Lothlorien geschickt. Sie staunten darob und Angst erfüllte sie. Doch so gütig und weise erschien er ihnen, daß sie schnell alle Furcht verloren und ihn zu Boromir führten, der wie im Tode lag und nicht zu wissen schien, was mit ihm geschah. Erst als der Elbenkönig ihn beim Namen rief, erwachte er und sprach zu ihm. Das überraschte alle, aber sie sahen auch, daß das Gesicht des Elbenkönigs ernst und grimmig war. „Das ist das Werk von jenem, den ich mehr als alle auf der Mittelerde hasse, außer dem Erzfeind", sagte er. „So furchtbar ist diese Wunde, daß meine Heilkraft zu gering für sie ist. Doch zumindest kann ich dem tapferen Mann Erleichterung seiner Schmerzen bescheren." Er legte die Kräuter auf die Wunde und sang seltsame

Zauberworte. Da entspannten sich Boromirs peinverzerrte Züge, und er schien sich zu erholen. Schließlich sagte der Elbenkönig: „Mühevoll ist die Reise nach Imladris im Westen, und lang. Und kaum wird dieser Verwundete sie überstehen, trotzdem rate ich euch, sie zu unternehmen, denn tut ihr es nicht, wird er schnell dahinscheiden, doch nicht in den Tod, der alle Menschen erwartet, sondern in eine grauenvolle Knechtschaft in der Finsternis, aus der sein Gegner kam. Er ist zu tapfer und wertvoll, um in diese Dunkelheit einzugehen. Lieber würde ich ihn tot sehen."

Da berieten Boromirs Gefolgsleute sich und beschlossen, ihn nach Bruchtal zu bringen. Der Elbenkönig begleitete sie ein Stück des Weges bis jenseits von Dimrillsstufe, dann ritt er voraus, um ihr Kommen zu verkünden. Lang und hart war die Reise mit dem Verwundeten, doch Boromir war mutigen Herzens und wollte nicht in die Finsternis eingehen, vor der der Elbenkönig ihn gewarnt hatte (denn er hatte im geheimen mit ihm darüber gesprochen), und so vertrug er die Reise ohne Klagen. Schließlich erreichten sie Bruchtal, und dort stellte Elrond – der mehr vom Heilen verstand als jeder Meister der Weisheit, ob nun Mensch oder Elb – ihn wieder her, soweit es ging, jedenfalls mehr als jeder, der ihn wie einen Schatten liegen sah, es für möglich gehalten hätte.

So wohnte Boromir viele Monde im Hause Elronds, und die Kraft seines Körpers und Geistes kehrte langsam zurück. In dieser Zeit erwuchs eine große Freundschaft zwischen ihm und dem Elbenkönig, der seinen Mut gegen ihren gemeinsamen Feind bewunderte, und er lernte ihn in diesen Tagen seiner allmählichen Wiederherstellung näher kennen.

Doch schließlich kam der Tag, da Boromir sagte: „Meister Elrond, nicht in Worte zu fassen vermag ich meine Dankbarkeit. Wahrlich schwer zufriedenzustellen müßte der sein, dem es nicht eine Freude wäre, in diesem gastfreundlichsten aller Häuser für immer zu bleiben. Über alle Hoffnung hinaus war mir hier die Heilung meiner todbringenden Wunde beschieden, und nun muß ich an mein eigenes Land denken und nach Gondor zurückkehren.“

Elrond blickte ihn ernst an und sagte: „Wohl fandet Ihr in diesem Tal Genesung, doch verdankt Ihr das nicht allein meinen Heilkünsten, es ist etwas an Bruchtal, das allem Bösen hier die Macht raubt. Während Ihr hier seid, ist das Finstere von Euch verbannt, doch seid Ihr nicht auf die Dauer vor ihm gefeit ...“ Er schaute dabei auf Boromirs Arm, der zur Größe eines Kinderarms geschrumpft war, obgleich er auf jede andere Weise wiederhergestellt war. „... wenn Ihr von hier weggeht“, fuhr er fort. „Eine Weile könnt Ihr Euch dann noch der Gesundheit erfreuen, aber Eure Tage werden gezählt und vom Bösen beschattet sein.“

Ohne Zaudern erwiderte Boromir: „Wenn das mein Los ist, Meister Elrond, so muß ich es tragen, so gut ich es kann. In Zeiten wie dieser darf ich mein Volk nicht länger alleinlassen. Solange ein Truchseß aus dem Hause Mardil Gondor bis zur Rückkehr des Königs regiert, herrscht Frieden in unserem Land. Und in meiner Abwesenheit, sofern sie nur kurz und für meine Gesundheit erforderlich ist, erkennt das Volk auch einen Stellvertreter an. Doch sollte die Kunde sich verbreiten, daß ich beabsichtige, meinen Stab niederzulegen, um meine Tage anderswo zu beschließen, käme es zu einem schrecklichen Machtkampf und zu einem bitteren Ende des Friedens, wie er uns jetzt beschieden ist. Denn jene, die mir Treue schworen und dem Land dienen, folgen mir, solange ich herrsche. Doch wenn keiner rechtmäßigen Anspruch auf den Thron hat, werden sie untereinander bitter um ihn kämpfen. Ich glaube, mir wird die Kraft beschieden sein, noch alles ins rechte Lot zu bringen, und was dann mit mir geschieht, werde ich zu ertragen wissen."

Elrond lächelte. „So sei es denn", sagte er. „Ihr Männer von Gondor seid starken Herzens, wie ich sehe, und würdige Söhne der Getreuen von Westernesse. Und wenn keine Furcht um Euch selbst Euch von Euren Pflichten abhält, möchte ich auch nicht, daß meine Worte es täten." Und so nahm er freundlichen Abschied von Boromir und segnete ihn. Er gab ihm auch einige seiner Männer zum Schutz mit. Der Elbenkönig begleitete ihn einen Tag, und als es Zeit war, Lebewohl zu sagen, zögerte er noch und nahm den Truchseß zur Seite.

„Meister Boromir", sagte er, „es schmerzt, mich von Euch trennen zu müssen, denn es ist unwahrscheinlich, daß Ihr in diesen Zeiten wieder einmal nordwärts reisen werdet, und mein Volk kommt nicht nach Ilthien oder weiter in den Süden. Ich habe lange darüber nachgedacht, welchen Rat ich Euch wohl geben könne, um Euch die Last zu erleichtern, die gewiß in den Tagen, die nicht auf sich warten lassen, schwer auf Euren Schultern ruhen wird." Er schaute hinauf in den Abendhimmel, wo die ersten Sterne wie Brillanten tief am Firmament glitzerten. „Nur dies eine möchte ich noch sagen: Wenn Ihr in den Hof des Weißen Baumes tretet, so achtet der Erbstücke des Getreuen."

„Ihr sprecht in Rätseln", sagte Boromir. Da lachte der Elbenkönig traurig und antwortete: „Wißt Ihr denn nicht, daß dies die Weise meines Volkes ist?" Mehr wollte er nicht sagen. Sie tauschten noch höfliche Worte des Lebewohls und trennten sich. Und jeder verbarg seinen Kummer.

So kehrte Boromir zu seinem Volk zurück und machte sich daran, alles zu ordnen. Als nur zu wahr stellten sich Elronds Worte heraus, denn nachdem er das Tal verlassen hatte, suchten Schmerzen und Dunkelheit ihn oft heim, doch da er ein willensstarker Mann war, überwand er sie immer wieder. Da er mit seiner geschrumpften Hand kein Schwert mehr führen konnte, legte er den Befehl über seine Armeen in die Hand seines Schlüsselverwalters, und setzte seinen Sohn Cirion, obgleich der noch ein Kind war, auf Posten, die ihn lehren sollten, seine Macht weise anzuwenden. Umsichtig war Boromir, vorausschauend, edelmütig und von tapferem Herzen, trotz der Schmerzen, die ihn immer mehr quälten.

Eines Abends schleppte er sich müde in den Hof des Weißen Baumes, wo Wassertropfen von den Zweigen perlten, und er entsann sich der Worte des Elbenkönig: *Achtet der Erbstücke des Getreuen.* Als er zum Himmel emporschaute und die sieben Sterne des Netzes sah, kam ihm ein alter Reim aus der Legende von Westernesse in der alten Zunge in den Sinn:

Sieben Sterne und sieben Steine
Und ein Weißer Baum.

Erbstücke, dachte er. Was mag er damit gemeint haben? Das Horn von Mardil ist das bedeutendste Erbstück unserer Familie, doch kann es mir kaum von Nutzen sein, auch mein Stab nicht. Sieben Sterne und sieben Steine . . .“ Da fiel ihm der Stein von Minas Arnor ein, der an einem geheimen Ort verborgen lag, an den nicht einmal die Könige von Gondor sich wagten. Groß war die Gefahr, die von den Sehenden Steinen ausging. Der Elbenkönig würde ihn doch nicht auf einen so schrecklichen Weg schicken! Doch als er wieder zu den Sternen hochschaute, erinnerte er sich, daß auch der Elbenkönig zum Firmament aufgeblickt hatte, und er dachte an die Sieben Sterne, die Steine des Lichtes, deren Glanz alle Wesen der Finsternis in Angst und Schrecken versetzte. Der größte von ihnen war der Stern Elendils, den er während des letzten Bündnisses trug, als Sauron niedergeworfen worden war, und der seither im Norden verschollen sein sollte. Und nun entsann Bormir sich auch, daß das Haus Mardils zu den Häusern gehörte, die einen der Sieben Sterne in ihrer Obhut hielten. Für viel zu hoch und zu kostbar erachteten die Mardils den Stein, als daß ihn auch nur eines Sterblichen Auge sehen durfte, und so war er seit vielen Generationen nicht mehr hervorgeholt worden, tatsächlich nicht, seit den Tagen der Könige. Und plötzlich befiel Boromir ein Verlangen, den Stern zu sehen. Er ließ ihn zu sich bringen. Ein herrlicher Juwel an einer feinen Silberkette war es. Als er ihn in seine Hand nahm, verschwanden die finsteren Schatten vor seinen Augen, als wäre ein dichter Schleier davon zurückgezogen worden, und er erschaute von einem hohen Ort einen klaren, wolkenlosen Himmel. Seit Tagen atmete er zum erstenmal wieder frei. Und als er sich schließlich erneut seinen vielen Pflichten zuwandte, waren seinem Herzen Sorge und Angst genommen.

Von dieser Stunde an legte er den Juwel nicht mehr ab. Ständig trug er ihn an seiner Silberkette um den Hals. Jene, die ihn gut kannten, bemerkten, daß er immer, wenn seine Augen die Schmerzen nicht mehr verbergen konnten, seine Hand um den Stein legte, und er sich daraufhin ein wenig besser zu fühlen schien.

Vielgestalt und schrecklich, wahrhaftig, war sein langes Leiden, und während die Jahre dahinschwanden, fiel er zusammen, wie ein Mann von dreimal seinen Jahren. Doch während er sich nur zwei oder drei Jahre erhofft hatte, um Ordnung in seinem Reich und allem, was dazu gehörte, zu schaffen, lebte er noch elf

Jahre, nachdem er von Bruchtal zurückgekehrt war. Nie hätte er auch nur zu träumen gewagt, daß ihm noch so viel Zeit beschieden war. Aber schwer war sein Leben, und lange, ehe es endete, sehnte er sich danach, es verlassen zu dürfen, und doch klammerte er sich an das bißchen Kraft, das ihm geblieben war, bis sein Sohn alt genug war, seine Pflichten zu übernehmen. Da erst wußte er, daß er mehr als erhofft erreicht hatte, und nicht länger Gefahr eines Machtkampfes im Land bestand, der die Einheit gegen Feinde von außen bedrohen könnte. Und dann siechte er schnell dahin, selbst der Juwel brachte ihm keine Linderung der Schmerzen mehr, die in seinen Gliedern tobten, doch auch jetzt noch gewährte er seinem Herzen ein wenig Frieden, wenn er ihn ansah.

Als der Tod schon an der Schwelle stand, rief er seinen Sohn Cirion zu sich und übergab ihm den Stab des Truchsesses und das Horn, das das Erbstück ihrer Familie war. Nachdem er ihn noch beraten hatte, was seine Regentschaft betraf, legte er die Hand um den Juwel und sagte: „Ein kostbares Gut war dieser Stein unserem Hause, obgleich wir bis vor kurzem seinen wahren Wert nicht zu schätzen wußten und ihn nur seiner Schönheit wegen achteten und als traurige Erinnerung an unsere verlorene Größe. Doch muß ich es dir nun auferlegen, ihn nicht für dich selbst zu behalten, denn die Zeit ist gekommen, da er weitergegeben werden muß. Ich wünsche, daß du ihn mit dem verläßlichsten Boten, den du kennst, in den Norden bringen läßt, bis er sicher in den Händen Meister Elronds von Imladris angelangt ist."

„So soll es sein", versprach ihm Cirion. „Aber weshalb?"

„Groß war sein Geschenk an mich, an dich und an Gondor, mein Sohn. Ohne diese Gabe würdest du nie regieren, noch könnte ein anderer Truchseß hier der Rückkehr des Königs harren. Und es ist mir gegeben, zu sehen, daß du diesen Stab viele Jahre führen wirst. Doch kein Geschenk würde Meister Elrond von mir nehmen, auch wären nur wenige Gaben aus Menschenhand seiner würdig. Nun aber deucht mir ...“ Und hier wurde ihm die Voraussicht seiner Väter beschieden, „... daß die Zeit gekommen ist, da ein solches Geschenk angebracht ist, denn die Schatten werden selbst auf die Pracht Imladris' und die Herrlichkeit des schönen Lothloriens fallen, und auch Elronds Weisheit und Geschick können nicht mehr helfen. Wehe, daß er, der so viele Herzen von ihrem Leid befreite, nun den bittersten Kummer erleiden muß, wenn all seine Kunst versagt.“ Und als er so gesprochen hatte, starb er.

In jenen Tagen geschah es noch, daß einige sich heimlich von Gondor nordwärts in die Wälder Loriens begaben. Einem von ihnen vertraute Cirion den Weißen Juwel an. So kam er nach Lorien, um bei der ersten Gelegenheit durch Lady Galadriel nach Bruchtal geschickt zu werden. Aber der Juwel blieb, nach Menschenjahren gerechnet, eine lange Zeit in Lorien (für das Elbenvolk war es nur eine kurze Zeitspanne). Dann ließen die Söhne Elrons sich – durch Zufall, wie die Menschen sagen würden – eine Weile in Lorien nieder. Als sie sich auf den Weg westwärts machten, begleitete der Elbenkönig sie, und so gelangte der Sternenjuwel schließlich in seine Hände.

(Hier endet der erste Teil der übertragenen Niederschrift. Anderswo wurde berichtet, daß in weniger als zwanzig Jahren nach dem Tode Boromirs der Schatten tatsächlich auf das Haus Imladris fiel. Ein Teil der folgenden Niederschrift scheint ein Versuch zu sein, epi-

sche Dichtung in Form und Versmaß der wenigen überlieferten Elbenepen in die Gemeinsprache zu übertragen. Jedoch wurde nichts unternommen, mehr als nur eine kurze Zusammenfassung des Epos niederzulegen. Auch ist nirgendwo ein Hinweis auf die Unverfälschtheit der Übertragung zu finden. So mag es gelten, bis jene, die die wahre Geschichte kennen, damit ans Licht treten. Anderswo wieder wurde berichtet, wie Königin Celebrian auf ihrem Weg nach Lorien im Torhornpaß von einem Schneesturm überrascht und aufgehalten wurde. Während sie und ihr Gefolge auf sein Nachlassen warteten, überfielen Orks aus Moria sie völlig unerwartet. Sie verjagten und erschlugen die Begleiter der Elbenkönigin und schleppten sie selbst in die Finsternis.)

Man erzählt sich von den Söhnen Elronds, sie seien Ebenbilder ihres Vaters: von edlem Wuchs, ernst, höflich und weise. Oft waren sie in den Kampf gegen die Krieger im Norden gezogen. Sie waren große Führer und furchteinflößend im Krieg, doch weise im Rat, und von sanfter Stimme. Wer sie kannte, liebte sie. Viele Freunde hatten sie unter den Menschen des Nordkönigreichs, und sogar ein Sprichwort hatte sich geprägt (so ähnlich waren sie einander), daß ein Krieger erst wirklich ein hohes Alter erreicht hatte, „wenn er lange genug gelebt hatte, um Elrohir und Elladan voneinander zu unterscheiden."

Und wahrlich ähnelten sie einander. Doch wenn einer in Gesellschaft sprach, um einen Rat oder einen Scherz zum Besten zu geben, war es gewöhnlich Elrohir, den Elladan war der Schweigsamere, obgleich genauso weise und tapfer.

Die Kunde hatte Lothlorien erreicht, daß Celebrian sich auf den Weg gemacht hatte, und so brachen auch ihre Söhne in Begleitung ihres Vaters auf, um ihr entgegenzueilen, denn ihre Verspätung beunruhigte sie. Sie stießen schließlich auf einen ihrer Begleiter, der seinem Tod nahe im Paß lag. Von ihm erfuhren sie, was sich zugetragen hatte. In großer Sorge und Angst machten sie schnelle Pläne. Der Elbenkönig sollte die von den Orks verjagten Gefolgsleute suchen, in der Hoffnung, prompte Hilfe zu bringen. Elrohir lenkte inzwischen den Haupttrupp der Orks durch einen wagemutigen Scheinangriff ab – eine Verzweiflungstat, die ihn fast das Leben kostete –, während Elladan allein auf der Suche nach seiner Mutter in die Finsternis ritt. Abgesehen von der Niederwerfung Saurons, bei der Gil-galad ums Leben kam, rühmt man dies als eine der tapfersten Taten des Elbenvolks. Aber so schmerzhaft war die Erinnerung in den Jahren danach, daß das Haus Elrond keine Lieder darüber zuließ, weder in Imladris, noch in Lorien.

Doch ehe die drei sich trennten, um jeder das Seine zu tun, gab der Elbenkönig in aller Hast Elladan einen Juwel wie ein Stern. „Es bleibt keine Zeit, dir ein besseres Licht für diese grauenvolle Finsternis zu besorgen, und das Schwert allein wird dir nichts nutzen", sagte er. „Doch vielleicht dient das dir besser als jedes andere Licht." Und so war es auch, denn das Licht jenes Juwels, obgleich nicht sehr hell, erweckte eine Furcht in den Orks, die größer noch war, als die vor dem brennenden Schmerz der Elbenklingen. Wenn es aus ihrer vertrauten Dunkelheit auf sie fiel, flohen sie in blinder Angst, so daß von da an für das ganze Orkvolk die Verkörperung des Schreckens ein hochgewachsener Elbenkrieger mit einem peinvoll leuchtenden Schwert und einem noch schrecklicheren Licht auf der Brust war. Schließlich, nach einer Zeitspanne, die er nicht zu schätzen wußte (denn auch das Elbenvolk verliert in solchen Höhlen jegliches Zeitgefühl), fand Elladan Celebrian. Er erschlug ihre Peiniger, und trug seine Mutter, noch lebend, obgleich durch vergiftete Pfeile verwundet und durch die Orks böse gequält, in die Sicherheit fernab der Finsternis.

Schrecklich war jene Reise nach Imladris und auch die Heimkehr. und allzu wirklich der Schatten, der damals über das Tal fiel. Elrond versorgte Celebrians Wunden, doch bei der Königin von Bruchtal, die all ihre Tage im Schutz von Imladris und des goldenen Loriens gelebt hatte, sprachen seine Heilkünste nicht wie bei den Sterblichen an. Und so siechte sie rascher als andere dahin und ihre Kräfte verließen sie. Da wußten der Elbenkönig und seine Söhne, daß sie schnell über den See in den Westen aufbrechen mußte, denn wenn nicht, würde es für sie eine Reise ohne Wiederkehr.

Doch sie selbst zögerte zu gehen, denn solche Trennungen von ihren Lieben sind für die Elben viel trauriger als für die Menschen. Fast ein Jahr blieb sie noch todkrank bei ihnen und litt große Schmerzen. Während all dieser Zeit trug sie den Weißen Juwel, der sie sicher aus der Finsternis zurückgeführt hatte. Und so war es, wie Boromir von Gondor es vorhergesehen hatte, daß dieser Stein sich als unschätzbares Geschenk für das Haus Elronds erwies. Er war einer der Sieben Sterne, die jenen anvertraut worden waren, die Numenor verließen, ehe es zerstört wurde. Die höchsten der Edain im Exil hielten sie in Ehren, denn in ihnen blieb ein Schimmer des wahren Lichtes erhalten.

Aber als schließlich die letzten Blätter des Herbstes von den Bäumen fielen, gestattete Elrond keine weitere Verzögerung mehr, und so trugen sie Celebrian zum Hafen. Schwer fiel es Elrond und Galadriel nun, ihr Wort zu halten, während des großen Kampfes in Mittelerde auszuharren, denn in dieser Stunde des Abschieds waren sie des Verbleibens über jede Vorstellung müde. Und Elrohir und Elladan schworen, daß jeder Ork östlich der Berge die Furcht vor den Söhnen Elronds kennenlernen sollte.

Am schwersten fiel Celebrian der Abschied von Arwen, denn obgleich noch kein Hauch des Geschicks Luthien Arwens Abendstern beschattete, sah Celebrian es in dieser Stunde voraus. Sie trennte sich von ihren Lieben für lange Jahre nach der Zeitrechnung der Mittelerde, und ging ihnen voraus in die Heimat ihres Volkes, aber von Arwen war es eine Trennung, die über das Ende der Welt hinaus dauerte.

Und so bemühte sich Celebrian, trotz ihres eigenen Leides und der vielfältigen Schmerzen, sich leichten Herzens zu geben. Schließlich hielt sie den Sternenjuwel in der Hand, dessen Schein selbst die Finger nicht zu verbergen vermochten. „Ich werde ihn nicht mehr brauchen", sagte sie. „Denn dort, wohin ich gehe, ist das Licht ungetrübt. Der Stein ist weniger von Wert für uns, als für die Menschen, die für immer jenseits dieses Lichtes wohnen müssen und denen deshalb auch sein schwächster Schein Trost und Kraft verleiht. Doch selbst uns, Arwen, denen er wenig Linderung zu bieten vermag, schenkt er mit seinem Glanz Erleichterung, wenn Traurigkeit und Furcht und dunkle Gedanken und schmerzende Erinnerungen und das Herz schwermachen. Von all dem wird dir, wie ich es vorhersehe, in reichem Maß beschieden sein, und du wirst lange auf das Glück warten müssen, vielleicht solange wie ich, bis ich wieder wirklich froh sein kann." Dann sah sie den Elbenkönig an, als erbitte sie seine Zustimmung. Er gab sie lächelnd und wortlos, und er verbarg, daß auch ihn der Abschiedsschmerz übermannte. So sagte sie denn: „Fasse Mut, Abendstern, trag diesen Stein, der als erstes von einem tapferen Sterblichen getragen wurde, und denk daran, daß selbst die Kurzlebigen den Mut finden, ihr Leid auch ohne Hoffnung zu erdulden. Wenn du den Juwel betrachtest, dann solltest du daran denken, daß ich in jenem Licht wohne, von dem der Schein dieses Steines ein Hauch von Erinnerung ist, und er mir in diesen traurigsten Tagen des Herbstes das Herz ein wenig leichter machte." Dann legte sie die Silberkette um Arwens Hals. Einen Augenblick leuchtete der Juwel wie ein brennender Stern, dann, als verdecke eine Wolke sein Licht, und schließlich wurde er bleicher und sein Schein weicher. Sanft sagte sie, doch als wäre es ein Scherz: „Das ist nicht der Elfenstein, der eines Tages dein sein wird, Abendstern, darum trage diesen, bis du mit dem anderen den Frieden deines Herzens finden wirst. Und in jener Stunde, wenn du durch die Schatten ins Licht gelangst, und nach langen Zweifeln und großer Traurigkeit dein Glück gewinnst, dann gib diesen Juwel einem, der ihn nötiger braucht als du, so wie ich ihn jetzt dir gebe." Elrods Gesicht war ernst bei diesen Worten und er bat: „Frieden! Sprich nicht davon." So sagte sie nichts weiter, und der Abschied war gekommen.

Celebrian fuhr über die See, und viele Jahre lang verstummten die Gesänge von Bruchtal, und selbst die Halle des Feuers war dunkel . . .

Anderswo wird von Arwen berichtet, daß sie wie ihre Brüder an Edelmut und Weisheit wuchs, daß sie begnadet unter den großen Herrinnen des Elbenvolks war, und daß nur Galadriel noch schöner war und noch mehr als sie geliebt wurde. Und es ist bekannt, daß sie in der Stunde, da sich endlich ihr Herzenswunsch erfüllt hatte und sie voll des Glückes neben König Elessar auf dem Thron saß, dem Ringträger, der seiner bedurfte, den Weißen Sternenjuwel gab.

DAS SCHWERT DYRNWYN
von
Lloyd Alexander

Als Rhitta zum König von Prydain gekrönt wurde, erhielt er zum Zeichen seiner Herrscherwürde das Schwert Dyrnwyn, das vollkommenste, das jemals geschmiedet wurde. Sein Heft war ganz mit Edelsteinen verziert und die Klinge auf eine längst vergessene, geheimnisvolle Art gehärtet. Eingraviert in die Scheide standen folgende Worte: *Nur jene von edler Geburt sollen Dyrnwyn je ziehen, um gerecht zu regieren und das Böse zu vernichten. Wer es edlen Mutes führt, wird selbst den Tod besiegen.* Wenig wußte man von Dyrnwyns Herkunft und Geschichte. König Rhydderch Hael, der Vater König Rhychs und Rhittas Großvater, trug es als erster, und man nahm an, daß die Klinge mit einem starken Zauber belegt war. Und nun war die Waffe in Rhittas Besitz als Zeichen der Stärke und zum Schutz des Landes.

Eines Tages ritten Rhitta und seine Edlen zur Jagd. In der Aufregung des Geschehens galoppierte Rhitta über das Feld des alten Hirten Amrys und brach versehentlich das Gatter zu dessen Schafspferch.

Voller Verzweiflung rief Amrys Rhitta zu:

„König, ich flehe Euch an, setzt mein Gatter wieder instand. Meine Arme sind zu schwach und meine Hände zittern. Ich habe nicht die Kraft, die Pfosten in die Erde zu schlagen, um es wieder aufzurichten."

In seinem Eifer, die Jagd so rasch wie möglich wieder aufzunehmen, erwiderte Rhitta kurz:

„Schäfer, es war nur ein kleines Ungeschick. Du hast mein Wort, daß ich die Sache in Ordnung bringen werde."

Mit diesen Worten gab er seinem Pferd die Sporen und ritt seinen Edlen nach. Er jagte den ganzen Tag, und als die Nacht hereinbrach, kehrte er müde auf sein Schloß zurück. Dort erwarteten ihn seine Ratgeber mit derart dringenden Geschäften und wichtigen Fragen, daß er sein Versprechen an den Schäfer vergaß.

Am nächsten Morgen jedoch, als der König zur Falkenjagd ausreiten wollte, stand der Schäfer am Portal und hielt ein Lamm in den Armen.

„König, setzt mein Gatter instand“, flehte Amrys und umklammerte Rhittas Steigbügel. „Alle meine Schafe sind entlaufen, bis auf dieses eine Lamm.“

„Habe ich dir nicht schon mein Wort gegeben?“ entgegnete Rhitta scharf. Es ärgerte ihn, daß er die Angelegenheit vergessen hatte, aber noch ärgerlicher war er auf den Schäfer, der ihm vor seinen Edlen Vorwürfe machte. „Deine Probleme sind klein und nichtig. Wir werden ihnen nachgehen, wenn die Zeit dafür gekommen ist. Belästige mich jetzt nicht länger.“

Der Falke auf des Königs Hand schlug ungeduldig mit den Flügeln. Mit einer heftigen Fußbewegung löste Rhitta den Steigbügel aus Amrys Hand, rief seiner Jagdgesellschaft zu, ihm zu folgen, und ritt davon.

An diesem Abend feierte Rhitta in seiner Halle an reich gedeckter Tafel bei Wein und köstlichen Speisen. Beim Klang der Harfen und dem Lachen und Prahlen seiner Krieger hatte Rhitta keinen Gedanken mehr für sein Versprechen an den Schäfer.

Am nächsten Tag hielt Rhitta Hof. Mit seinem Heerführer und dem gesamten Rat besprach er Fragen der Politik und des Staates. Mitten in die Beratung hinein humpelte Amrys. Er befreite sich aus dem Griff der Wachen, die ihn zurückzuhalten versuchten, und fiel vor dem Herrscher auf die Knie.

„König, setzt mein Gatter instand!“ flehte er und hielt

Rhitta das tote Lamm entgegen. „Ich habe Euch immer als guten Monarchen und aufrichtigen Mann verehrt, aber nun sind meine Schafe fortgelaufen und mein Lamm ist ohne seine Mutter gestorben."

„Schäfer!" warnte Rhitta. „Ich habe dir befohlen, mich nicht länger zu belästigen. Wie kannst du es wagen, meine Ratssitzung zu stören? Hier werden ernste Dinge besprochen!"

„Sire", antwortete der Schäfer, „ist es nicht eine ernste Sache, wenn ein König sein Wort nicht hält?"

„Was?" brauste Rhitta auf. „Du wirfst mir vor, ich stünde nicht zu meinem Wort?"

„Das nicht, Sire", erwiderte der Schäfer schlicht. „Ich sage nur, daß es bis jetzt noch nicht eingelöst wurde."

Rhittas Gesicht lief unter dieser Anschuldigung rot an. Vor Ärger fuhr er hoch von seinem Thron. „Hüte deine Zunge, Alter! Nennst du deinen König einen Eidbrecher?"

„Das habt Ihr gesagt, Herr, nicht ich."

Diese Worte des Schäfers entfachten Rhittas Zorn dermaßen, daß er sein Schwert zog und Amrys niederschlug. Als seine Wut sich jedoch legte und er sah, daß er den Greis getötet hatte, bereute er seine Tat zutiefst. Er schleuderte seine Waffe von sich und vergrub sein Gesicht in den Händen.

Seine Ratgeber scharten sich um ihn und sprachen auf ihn ein.

„Sire, das war eine beklagenswerte Tat, jedoch hat der Schäfer sie selbst heraufbeschworen. Er beleidigte Euch tödlich, indem er Euch ins Gesicht einen Lügner nannte. Eine derartige Beschimpfung Eurer Majestät hätte zu Verrat und offener Rebellion führen können. Ihr konntet nicht anders handeln."

Anfangs gab Rhitta sich allein die Schuld. Je mehr ihn aber seine Ratgeber beschwichtigten, desto leichter fiel es ihm, die ganze Sache mit ihren Augen zu sehen. Nur zu gern vergaß er seine Selbstvorwürfe und sprach:

„Ja, nun sehe ich es auch. Ich habe nur meine Pflicht getan. Um jedoch zu beweisen, daß ich keinen Grimm gegen den Schäfer hege, werdet ihr veranlassen, daß seine Wittib und jeder seiner Familie einen Beutel Gold erhält und außerdem den besten Widder, sowie das schönste Mutterschaf aus meiner eigenen Herde. Und niemals soll es ihnen an irgend etwas fehlen."

Der ganze Hof pries Rhittas Weisheit und Großzügigkeit.

Des Nachts jedoch, in seinem Schlafgemach, als Rhitta seine Waffe zur Seite legte, entdeckte er auf Dyrnwyns glänzender Hülle einen dunklen Fleck, wie von getrocknetem Blut. Er versuchte alles, um die Scheide sauber zu wischen, aber der Fleck blieb.

Am nächsten Tag kam der Kanzler und berichtete:

„Sire, wir wollten tun, wie Ihr geheißen habt, aber der Schäfer hatte weder Weib noch Familie. Es gibt auch keinen Erben für sein Land."

Rhittas Heerführer hörte diese Worte. Er trat vor den König und sprach:

„Sire, Ihr habt immer die belohnt, die Euch treu dienten. Blieb ein Land ohne Erben so gabt Ihr es anderen Lords. Habt die Güte, dieses Besitztum mir zu überlassen."

Rhitta zögerte und bedachte das Anliegen des Heerführers. Er überlegte sich aber auch, daß des Schäfers Land seinen eigenen Besitz vergrößern würde. Dann sagte er:

„Der Schäfer beleidigte mich, so ist es nur gerecht, daß sein Land dem meinen zugefügt wird."

„Gerecht?" entgegnete der Heerführer. „Des Königs Gerechtigkeit kommt nur dem König zugute."

Rhitta erwiderte ergrimmt:
„Es wird so geschehen, wie ich es bestimme. Wie kannst du es wagen, meine Entscheidung in Frage zu stellen? Willst du deinen König rügen? Du tätest gut daran, dir das Schicksal des Schäfers eine Warnung sein zu lassen!"
„Ihr bedroht einen Waffengefährten?" Der Heerführer fuhr zurück. Seine Lippen waren weiß vor Wut. „Jetzt habt Ihr es mit einem Krieger zu tun, Rhitta, nicht mit einem schwachen alten Mann. Seid selbst gewarnt, König!"
Darauf schlug Rhitta ihm ins Gesicht und schrie: „Aus meinen Augen! Das Land, das du besitzt, ist dir nicht genug? Für deine Unverschämtheit wirst du deine eigenen Ländereien verlieren. Ich verbanne dich von meinem Hof und Schloß und aus meinem Reich!"
Keiner der Ratgeber und auch nicht einer der Edlen wagten es, dem Zorn des Königs entgegenzutreten. So wurde der Heerführer in Schande verbannt und sein Amt einem anderen übertragen.
Als Rhitta in dieser Nacht in seinem Schlafgemach seine Waffen zur Seite legte, sah er, daß der Fleck auf Dyrnwyns Hülle nicht nur dunkler geworden war, sondern sich noch weiter ausgebreitet hatte. Wieder versuchte er, die Scheide zu säubern, aber der hartnäckige Fleck blieb. Bestürzt gab er das Schwert seinen Waffenschmiedemeistern, aber auch diese vermochten es nicht blank zu bekommen.
Nun aber begannen viele Edle, die vom Schicksal des Heerführers erfahren hatten, untereinander zu flüstern. Die Ungerechtigkeit des Königs gab ihnen zu denken. Sie fürchteten, des Herrschers Zorn könne auch über sie kommen, und man könnte sie ihrer Länder und Ehren berauben. Also schworen sie, sich gegen Rhitta zu erheben und ihn vom Thron zu stürzen.

Der König erfuhr jedoch von ihren Plänen. Und als sie sich zum Angriff sammelten, überraschte er sie mit seiner Kriegsschar.

Wie es der Zufall wollte, war der Ort der Schlacht kein anderer, denn das Feld des Schäfers Amrys. Rhitta, der seine Krieger anführte, schrie plötzlich vor Schrecken laut auf, als der Schäfer mit blutenden Wunden vor seinen Augen stand und ihm das tote Lamm entgegenstreckte.

Des Königs Krieger, die nichts von dem sahen, hielten Rhittas Aufschrei für einen Schlachtruf. Sie stürmten los und erschlugen die meisten ihrer Gegner, bis die anderen flohen.

Rhitta jedoch hatte sein Pferd herumgerissen und wandte der blutigen Schlacht den Rücken. So schnell er konnte, ritt er auf sein Schloß. Dort lag er zitternd in seinem Gemach und glaubte, der Schäfer wolle Unheil über ihn bringen.

Als seine Krieger zurückkamen und ihm von ihrem Sieg berichteten, fragten sie ihn, ob er verwundet wurde und deshalb den Angriff nicht führen konnte. Rhitta wagte aber nicht, ihnen zu erzählen, was er gesehen hatte. Statt dessen gab er vor, plötzlich vom Fieber befallen worden zu sein. Aus seinen Gedanken konnte er jedoch den Schäfer nicht verbannen.

„Er hat sein Schicksal verdient", sagte sich Rhitta erneut. „So wird es allen ergehen, die sich gegen mich erheben. Auch ihre Länder und Besitztümer sollen beschlagnahmt und der Krone unterstellt werden."

Jetzt breitete sich der Fleck immer weiter aus und bedeckte fast die ganze Scheide. Wieder hieß er seine Waffenschmiede, es zu reinigen. Sie vermochten es jedoch nicht.

„Das Metall ist schlecht!" brüllte Rhitta. „Das Schwert taugt nichts!"

Doch gleichzeitig wurde er unsicher. Er hielt das Erscheinen des Schäfers für ein Omen, eine Warnung vor weiterem Verrat. Er rief den Rat, den Heerführer und die Hauptleute seiner Kriegstruppen und sprach:

„Noch sind nicht alle unserer Feinde überwältigt. Das Reich befindet sich weiter in Gefahr. Die Clans dieser Verräter werden nach Rache schreien. Vielleicht verschwören sie sich schon in diesem Augenblick gegen mich. Wahrscheinlich warten sie nur auf einen günstigen Zeitpunkt, mich zu überraschen. Besser wird es sein, wenn ich sie jetzt vernichte, ehe sie ihre Kräfte sammeln und gegen mich ziehen."

So befahl Rhitta seinen Kriegsscharen, zum Sonnenuntergang die Clans der Verräter aufzusuchen und sie auszurotten.

In dieser Nacht wälzte sich Rhitta auf seinem Lager hin und her, und lange, ehe der Morgen graute, erwachte er durch das Murmeln einer Stimme in seinem Gemach. Er schreckte hoch, und Angstschweiß rann ihm über den ganzen Leib. Vor sich sah er am Fuß des Bettes den Schäfer mit dem Lamm in den Armen.

Amrys sagte: „Denkt an das zerbrochene Gatter, Sire, und denkt an die verirrten Schafe. Der Weg, dem Ihr folgt, wird auch Euch in die Irre führen. Beklagt die Toten, indem Ihr an den Lebenden Barmherzigkeit übt."

Der Schäfer hätte weiter gesprochen, doch der König wehrte sich, mehr zu hören. Mit einem Schrei sprang er hoch, griff nach Dyrnwyn und wollte die Klinge blank ziehen. Aber die Hülle hielt das Schwert wie in eisernem Griff umschlossen. Voller Furcht und Zorn zerrte er an der Waffe, bis seine Finger blutig waren, aber die Scheide gab die Klinge nicht mehr frei.

Als ihm seine Wachen, mit Fackeln in den Händen, zur Hilfe eilen wollten, schickte er sie fort und gab vor, einen bösen Traum gehabt zu haben. Am nächsten Tag warteten seine Krieger vergebens darauf, daß der König sie in die Schlacht führen würde. Rhitta rief seinen Heerführer zu sich und sagte:

„Ich habe über die Sache nachgedacht und bin zu dem Schluß gekommen, daß es unter der Würde eines Königs ist, sich mit einer solchen Sache abzugeben. Führte ich mein Heer selbst, würde man sagen, ich schätzte die Gefahr zu hoch ein, oder ich hätte kein Vertrauen in meine Hauptleute. Erledige du meinen Auftrag, wie du es für richtig erachtest."

Dann zog sich Rhitta in sein Gemach zurück, denn er wagte nicht, den wahren Grund seiner Worte preiszugeben.

Auf dem Schwert, dachte Rhitta, steht geschrieben: *nur jene von edler Geburt sollen Dyrnwyn je ziehen ...* Nachdem mir nun aber das Schwert nicht mehr gehorcht, könnten meine Krieger glauben, ich wäre des Regierens nicht würdig.

Je länger er auf die Inschrift starrte, desto mehr fühlte er sich verspottet. Fluchend versuchte er, mit einem Messer die eingravierte Botschaft wegzukratzen. Es gelang ihm auch, einige der Buchstaben zu beschädigen, die Gravur jedoch blieb bestehen und hob sich nur noch viel deutlicher von der Scheide ab. Rhitta schleuderte den Dolch zur Seite. Er umklammerte das Schwert und kauerte sich zitternd in eine Ecke des Gemachs. Sein Blick war unstet und seine Augen glänzten fiebrig.

Bald kam sein Heerführer und erstattete Bericht.

„Sire, die Angehörigen Eurer Feinde sind getötet, ihre Familien, ihre Frauen und Mütter, ihre Kinder – alle, die ein Recht auf Blutsverwandtschaft beanspruchen könnten."

Der König nickte abwesend, als hätte er gar nicht recht gehört und murmelte:

„Ihr habt Eure Sache gut gemacht."

Danach blickte Rhitta auf Dyrnwyn. Die Scheide war völlig schwarz geworden.

Diese Nacht verbrachte der König hinter verriegelten Türen, trotzdem erwachte er von einer weinenden Stimme, und wieder sah er den Schäfer, der ihm sein gepeinigtes Gesicht zuwandte und ihm zurief:

„Sire, findet zu Euch, ehe Ihr Euch verliert!"

Rhitta verschloß diesen Worten seine Ohren, doch selbst der nahende Morgen ließ seinen Alptraum nicht verblassen und der leere Raum hallte wider vom Weinen des alten Schäfers.

„Ein weiteres Omen!" schrie Rhitta. „Eine weitere Warnung, daß nicht alle meiner Feinde getötet sind. Alle müssen gefunden und erschlagen werden, andernfalls verliere ich mein Königreich."

So befahl er also seinen Kriegsscharen, all jene zu verfolgen, die je mit den Verwandten seiner Feinde befreundet gewesen waren, und all die, die je gut von ihnen gesprochen hatten, und all jene, die ihn als König nicht priesen.

Doch auch das brachte ihm keinen Frieden. Während Rhitta in seinem Gemach verharrte, wüteten seine Krieger ungestört in seinem Reich. Sie töteten willkürlich mit oder ohne Grund, denn es ging ihnen nun mehr um Beute, als um die Aufdeckung von Verrat. Dies alles trug jedoch nicht dazu bei, die Feinde des Königs einzuschüchtern, diese Untaten gaben ihnen im Gegenteil den Mut der Verzweiflung. Wo sich zunächst nur wenige gegen den Herrscher erhoben hatten, waren es derer nun viele. Rhittas Alpträume ließen auch nicht nach, sie wurden im Gegenteil noch schlimmer. Er fürchtete sich davor, allein in seinem Gemach zu bleiben, und ebensosehr hatte er Angst, es zu verlassen, aus Furcht vor Meuchelmördern, vor denen er sich jetzt, selbst umgeben von seiner Leibwache, nicht mehr sicher fühlte.

So veranlaßte Rhitta den Bau neuer Gemächer für sich – tief in der Erde, mit schweren Türen und dicken Wänden. Seinen Gefolgsleuten befahl er, mit blanken Schwertern um seine Liegestatt Aufstellung zu nehmen und ihn zu bewachen.

Rhitta schlief nun jede Nacht in einer anderen Kammer. Selbst seine Ratgeber wußten nicht, wo sie ihn finden konnten. Weitere neue Räume ließ er bauen, mit Gängen, Tunnels und Stollen, die sich in einem Muster, das nur er kannte, wanden, kreuzten und bogen. Deshalb erhielt diese Festung den Namen Spiralburg.

Doch Rhitta war auch jetzt nicht zufrieden. Er befahl seinen Bauleuten, noch tiefer zu graben, bis es nicht mehr ging. Dort schlugen sie eine Kammer in den nackten Fels, die er anfüllte mit schier unerschöpflichen Vorräten, mit gewaltigen Truhen voll Gold und Edelsteinen und Roben aus bestem Pelz und meisterhaft geschmiedeten Waffen. Ein hohes Lager ließ er für sich errichten, auf das er sich mit dem schwarzen Schwert in der Hand legte. Nun endlich war Rhitta zufrieden. Hier konnte ihn kein Feind finden und kein Heer Breschen in die Mauern schlagen. Trotzdem befahl er seinen Kriegern, mit blanken Schwertern bei ihm Wache zu halten.

In dieser Nacht fiel er sofort in Schlaf. Aber bald schon, wie zuvor, weckte ihn ein Flüstern voller Qual. Vor ihm stand der Schäfer. Das Blut aus seinen Wunden tropfte auf das Fell des Lammes auf seinen Armen.

Die Krieger, die hier keine Gefahr erwarteten, waren längst in tiefen Schlaf gesunken und lagen ausgestreckt am Boden. Rhitta wollte laut aufschreien, aber seine Stimme blieb ihm im Halse stecken, als Amrys sich näherte.

„Unglückseliger König", sprach der Schäfer. „Ihr wolltet nicht auf mich hören. Ihr habt mich eines gebrochenen Gatters wegen erschlagen. Aber Euch selbst habt Ihr mehr als hundertmal getötet. König, ich bedauere Euch, wie ich jede leidende Kreatur bedauere."

Der Schäfer streckte seine Hand aus, um des Königs Stirn zu berühren.

Rhitta, der jedoch glaubte, Amrys wolle ihn niederschlagen, fand seine Stimme wieder und schrie voller Angst laut auf. Gleichzeitig umklammerte er Dyrnwyns Griff. Er nahm all seine Kraft zusammen und spannte jeden Muskel seines Körpers, um mit schier übermensclicher Anstrengung das Schwert aus seiner Hülle zu ziehen. Ein Schrei des Triumphs entfuhr seinen Lippen, als das Schwert frei kam.

Aber nur eine Handbreit der Klinge hatte er gezogen, als weiße Flammen vom Heft die ganze Hülle hinabzüngelten. War er zuvor nicht fähig gewesen, das Schwert zu ziehen, so konnte er nun seine Faust nicht öffnen, um die glühende Waffe von sich zu werfen.

Einen Augenblick lang erfüllte die Flamme wie ein Blitz den ganzen Raum. Sie erfaßte selbst die Wachen, die gerade auf die Beine kommen wollten. Ebenso plötzlich, wie sie erglüht war, erlosch sie. Mit dem schwarzen Schwert immer noch in der leblosen Hand, sank König Rhitta auf seine Lagerstatt zurück. Und alles war still.

Keiner konnte durch die Tunnels und Stollen einen Weg finden, und so blieb Rhitta, wie er gefallen war. Als die Ratgeber nichts mehr von ihrem Herrscher hörten, wußten sie bald, daß er tot war.

Und nur der Schäfer Amrys trauerte um ihn.

TEMPEL DES GRAUENS

von

Robert E. Howard

„Haltet an!“ brummte Wulfher Hausakliufr. „Ich sehe das Schimmern eines steinernen Bauwerks durch die Bäume ... Thors Blut, Cormac! Führst du uns in eine Falle?“

Der hochgewachsene Gäle schüttelte den Kopf. Sein narbiges Gesicht wirkte noch finsterer als sonst.

„Nie hörte ich von einer Burg in dieser Gegend. Die britischen Stämme hier bauen nicht mit Stein. Es könnte eine alte römische Ruine sein ...“

Wulfher zögerte. Er warf einen Blick über die Schulter auf die dicht geschlossenen Reihen bärtiger Krieger mit gehörnten Helmen. „Wir sollten vielleicht einen Kundschafter ausschicken.“

Cormac Mac Art lachte spöttisch. „Es sind achtzig Jahre her, daß Alarich seine Goten durch das Forum führte, doch ihr Barbaren erschreckt immer noch, wenn ihr nur den Namen Rom hört. Habt keine Angst, es gibt keine Legionen mehr in Britannien. Ich glaube, das dort ist ein Tempel der Druiden, und von ihnen haben wir nichts zu befürchten – schon gar nicht, da wir gegen ihre Erzfeinde zu Felde ziehen.“

„Und Cerdics Brut wird wie die Wölfe heulen, wenn wir sie aus dem Westen, statt dem Süden oder Osten angreifen“, sagte der Schädelspalter grinsend. „Das war ein listiger Einfall von dir, Cormac, unsere Drachenschiffe an der Westküste zu verstecken und quer durch das Land der Briten zu marschieren, um den Sachsen in den Rücken zu fallen. Aber Wahnsinn ist er auch.“

„In meinem Wahnsinn ist Methode“, erwiderte der

Gäle. „Ich weiß, daß sich zur Zeit nur wenige Krieger hier herumtreiben. Die meisten der Häuptlinge sammeln sich um Arthur Pendragon zu einem gemeinsamen Feldzug. Pendragon – ha! Er ist genausowenig Uther Pendragons Sohn wie du oder ich. Uther war ein schwarzbärtiger Verrückter – mehr Römer als Brite, und mehr Gallier als Römer. Arthur ist so gelbhaarig wie Eric dort. Und er ist ein reinblütiger Kelte – ein Findelkind von den wilden Stämmen im Westen, die sich nie den Römern beugten. Es war Lancelot, der ihm zuredete, sich zum König zu machen – sonst wäre er immer noch nicht mehr als ein Häuptling der Wilden, der die Grenzen unsicher macht."

„Hat er die feinen Sitten der Römer?"

„Arthur' Hah! Verglichen mit ihm könnte einer deiner Dänen sich als feine Dame ausgeben. Er ist ein strobelköpfiger Wilder, der auf Schlachten versessen ist." Cormac grinste wie ein Wolf und berührte seine Narben. „Beim Blut der Götter, er hat ein durstiges Schwert! Wenig erreichten wir Plünderer an seinen Küsten!"

„Ich hätte nichts dagegen, mich mit ihm zu messen", knurrte Wulfher und strich fast zärtlich über die Schneide seiner mächtigen Streitaxt. „Was ist mit Lancelot?"

„Ein gallo-römischer Überläufer, der das Gurgelschlitzen zur Kunst gemacht hat. Er vertreibt sich die Zeit damit, Petronius zu lesen und Komplotte und Intrigen zu schmieden. Gawaine ist reinblütiger Brite wie Arthur, aber er ist ein Römerfeund. Du würdest dich kranklachen, wenn er Lancelot nachäfft. Aber er kämpft wie ein blutdürstiger Teufel. Ohne diese beiden wäre Arthur nichts weiter als ein Räuberhauptmann. Er kann weder lesen noch schreiben."

„Na und?“ knurrte der Däne. „Ich kann es auch nicht . . . Ah, da ist der Tempel.“

Sie hatten das hohe Gehölz erreicht, aus dessen Schatten der breite gedrungene Tempel sie hinter einer schützenden Säulenreihe lauernd anzustarren schien.

„Das kann kein Tempel der Briten sein“, knurrte Wulfher. „Ich dachte, sie gehören zum großen Teil dieser schwächlichen neuen Sekte an, die sich Christen nennt.“

„Das sind die römisch-britischen Bastarde“, sagte Cormac. „Die reinblütigen Kelten bleiben ihren alten Göttern treu, genau wie wir von Erin. Beim Blut der Götter, wir Gälen werden nie Christen werden, solange noch ein Druide lebt!“

„Was machen diese Christen eigentlich?“ fragte Wulfher neugierig.

„Sie essen während ihrer Zeremonien Neugeborene, raunt man.“

„Aber ist es nicht so, daß die Druiden Menschen in Käfigen aus grünem Holz verbrennen?“

„Eine von Cäsar verbreitete Lüge, die nur die Dummen glauben“, knurrte Cormac ungeduldig. „Ich will keine Lobeshymnen auf die Druiden singen, aber das Wissen über die Elemente und ihre alte Weisheit kann ihnen niemand abstreiten. Diese Christen lehren Sanftmut und verlangen, daß man seinem Feind auch noch die Wange hinhält, um sich schlagen zu lassen.“

„Was sagst du da?“ staunte der große Wikinger. „Befiehlt ihr Glaube wahrhaftig, daß sie sich wie Sklaven prügeln lassen?“

„Ja – und daß sie Böses mit Gutem vergelten und ihren Feinden verzeihen.“

Der Riese dachte einen Augenblick darüber nach.

„Das ist kein Glaube“, sagte er schließlich, „sondern

Feigheit. Diese Christen müssen alle Verrückte sein. Wenn du einen ihres Glaubens erkennst, Cormac, dann sag es mir, und ich werde ihn auf die Probe stellen." Unmißverständlich hob er seine Axt. „Das ist eine gefährliche Lehre, die sich wie ein Rostpilz auf dem Weizen verbreiten mag und die den Mannesmut raubt, wenn sie nicht wie eine Schlange unter dem Absatz zertreten wird."

„Ich werde mit dem Zertreten anfangen, wenn ich auch nur einen dieser Irren sehe", brummte Cormac. „Aber kümmern wir uns jetzt erst einmal um diesen Tempel. Wartet hier – ich habe den gleichen Glauben wie diese Briten, auch wenn ich von einer anderen Rasse bin. Die Druiden werden unseren Feldzug gegen die Sachsen segnen. Viel ist natürlich Mummenschanz, aber wir können ihr Wohlwollen brauchen."

Der Gäle stapfte zu den Säulen und verschwand dahinter. Wulfher lehnte sich auf seine Axt. Ihm war, als höre er aus dem Innern ein schwaches Klappern, wie von Ziegenhufen auf Marmorboden.

„Das ist ein Ort des Bösen", murmelte Osric Jarlsbann. „Ich bin mir nicht sicher, aber ich glaube, ich habe gerade ein merkwürdiges Gesicht über jener Säule gesehen."

„Es war nur eine Weinranke, die sich bewegte", widersprach der Schwarze Hrothgar. „Schau doch nur, wie das grüne Zeug sich rings um den Tempel schlingt! Es dreht und windet sich wie gequälte Seelen. Wie menschenähnlich es ist . . ."

„Ihr seid beide verrückt!" unterbrach ihn Hakon Snorrison. „Was ihr beide gesehen habt, war eine Ziege! Genau bemerkte ich die Hörner auf ihrem Kopf . . ."

„Thors Blut!" fluchte Wulfher. „Seid still – hört!"

Im Tempel hallte ein scharfer, heidnischer Schrei wider. Dann war ein plötzliches, dämonisches Klappern wie von gespenstischen Hufen zu hören, das Schleifen eines Schwertes, das aus der Scheide gezogen wird, und ein schwerer Schlag. Wulfher umklammerte den Axtstiel und tat den ersten Schritt, um zum Tempel zu stürmen. Doch da kam in stummer Hast Cormac Mac Art zwischen den Säulen hervor. Wulfhers Augen weiteten sich, und ein Schauder rann ihm über den Rücken, denn nie zuvor hatte er den hageren Gälen so offensichtlich erschüttert gesehen. Die Farbe war aus seinem Gesicht gewichen, und seine Augen verrieten ein Grauen, als hätte er in finstere, bodenlose Klüfte geblickt. Blut tropfte von seiner Klinge.

„Was, in Thors Namen, ist geschehen?" fragte Wulfher und spähte verstört durch die Säulen in den düsteren Tempel.

Cormac wischte sich den kalten Schweiß von der Stirn und benetzte die Lippen.

„Beim Blut der Götter", brummte er. „Wir sind hier auf ein Ungeheuer gestoßen – oder mich hat der Wahn gepackt! Aus dem Halbdunkel im Innern kam es herbeigehopst, ganz plötzlich, und fast hatte es mich erreicht, bis ich mich faßte und die Klinge zog. Es sprang und hüpfte wie ein Ziegenbock, aber es rannte aufrecht, und in dem trügerischen Zwielicht schien es Ähnlichkeit mit einem Mann zu haben."

„Du bist ja verrückt", brummte Wulfher beunruhigt. In seinen Sagen gab es keine Faune.

„Die Kreatur liegt im Tempel auf dem Boden!" fuhr Cormac auf. „Komm mit, dann wirst du sehen, ob ich verrückt bin oder nicht." Er drehte sich um und verschwand wieder zwischen den Säulen.

Wulfher folgte ihm mit der Axt in der Hand, und seine Wikinger stapften in dichten Reihen, vorsichtigen Schrittes, hinter ihm her. Sie kamen durch die Säulen, die ohne jegliche Verzierung waren, und betraten den Tempel. Eine weite Halle mit wuchtigen Säulen auf schwarzem Stein lag vor ihnen. Diese Säulen waren skulptiert. Auf jeder kauerte wie auf einem Piedestal eine gedrungene Figur, aber in dem düsteren Licht war es unmöglich zu erkennen, was sie darstellten, obgleich sofort der Eindruck ekelerregender Abscheulichkeit entstand.

„Na", brummte Wulfher ungeduldig. „Wo ist denn dein Ungeheuer?"

„Dort fiel es", sagte Cormac und deutete mit dem Schwert. „Bei den schwarzen Göttern!"

Nichts lag auf dem Fliesenboden.

„Mondschein und Irrsinn!" brummte Wulfher und schüttelte den Kopf. „Keltischer Aberglaube. Du siehst Gespenster, Cormac!"

„O ja?" fuhr der verärgerte Gäle auf. „Und wer hat kürzlich einen Troll gesehen und das ganze Lager mit seinem Gebrüll aufgeweckt? Wer hat die Schar zu den Waffen gerufen und bis zum Morgengrauen wachgehalten und immer wieder die Feuer schüren lassen, bis die armen Burschen vor Müdigkeit fast umfielen, nur um die Kreaturen der Finsternis fernzuhalten?"

Wulfher brummte verlegen etwas Unverständliches und funkelte seine Krieger an, um sie vom Lachen abzuhalten.

„Schau doch her", forderte Cormac den Wikingerhäuptling auf, und bückte sich. Auf den Fliesen zeichnete sich eine kleine Lache frischen Blutes ab. Wulfher warf nur einen Blick darauf, dann richtete er sich hastig auf und spähte in die Düsternis. Seine Männer drängten sich dichter zusammen, und ihre Barthaare schienen sich aufzustellen. Drückendes Schweigen herrschte.

„Kommt mit", forderte Cormac sie leise auf. Sie blieben dicht hinter ihm, als er wachsam durch die breite

Halle schritt. Offenbar gab es hinter den auf unerklärliche Weise Abscheu erregenden Säulen keine Eingänge. Vor ihnen jedoch standen sie in der Mitte weiter auseinander und machten Platz für die Tür, die in einen kreisrunden Raum mit Kuppeldach führte. Auch hier befanden sich in regelmäßigen Abständen Säulen. Im Licht, das durch die Kuppel filterte, sahen die Krieger, welcher Art diese Säulen waren und die Figuren, die auf ihnen kauerten. Cormac fluchte durch zusammengebissene Zähne. Wulfher spuckte in weitem Bogen aus. Die Skulpturen waren zwar von Menschenform, aber selbst die degeneriertesten Künstler Griechenlands oder Roms hätten solche Obszönitäten nicht in Stein hauen können. Cormac verzog finster das Gesicht. Da und dort hatten die unbekannten Künstler ihren Skulpturen eine Spur von Unwirklichkeit verliehen – eine Andeutung von Abnormität über menschliche Deformierung hinaus. Gerade das erweckte eine vage Unruhe in ihm, die Spur einer Angst, die sein Unterbewußtsein quälte.

Der flüchtige Gedanke, daß er vielleicht nur eine Halluzination gesehen und erschlagen hatte, war vergessen.

Neben der Tür, durch die sie den kreisförmigen Raum betreten hatten, befanden sich vier schmale, bogenförmige Eingänge, doch offensichtlich ohne Türen. Cormac schritt zur Mitte der Kuppel und schaute hoch. Das düstere Dach wölbte sich finster und drohend über ihm. Sein Blick fiel auf den Boden. Die Fliesen waren in einem Muster von Linien angeordnet, die der Mitte des Raumes zuströmten, und zwar der breiten achteckigen Marmorplatte, auf der er stand ...

Im gleichen Augenblick, als ihm das bewußt wurde, kippte die Platte lautlos unter ihm, um ihn in die abgrundtiefe Finsternis zu stürzen.

Nur schier übermenschliche Geistesgegenwart rettete ihn. Thorfinn Jarlsbann stand ihm am nächsten, und als Cormac fiel, streckte er einen Arm aus und griff nach dem Schwertgürtel des Dänen. Die verzweifelt krallenden Finger verfehlten ihn, schlossen sich jedoch um die Scheide. Und als Thorfinn instinktiv die Beine spreizte, bot er einen besseren Halt, und des Gälen Sturz wurde gebremst. Sein Leben hing nun von einer Hand um die Schwerthülle ab und von der Festigkeit der Scheidenschlaufen. Doch schon hatte Thorfinn Cormacs Handgelenk gepackt, und Wulfher, der mit Löwengebrüll herbeirannte, bekam das andere zu fassen. Gemeinsam zerrten sie den Gälen aus der gähnenden Schwärze. Cormac half mit einer Drehung nach und schwang seine Beine über den Rand der Öffnung.

„Thors Blut!“ fluchte Wulfher erschrockener als der Gäle. „Das war knapp! Bei Thor, du hast ja immer noch dein Schwert!“

„Wenn ich das einmal aufgebe, dann nur, weil kein Leben mehr in mir ist“, brummte Cormac. „Ich habe vor, es selbst in die Hölle mitzunehmen. Aber jetzt möchte ich mir das Loch anschauen, das sich so unerwartet unter mir geöffnet hat.“

„Es mögen sich hier noch mehr Fallen finden“, gab Wulfher beunruhigt zu bedenken.

„Ich sehe die Schachtwände“, murmelte Cormac, der sich inzwischen bereits über die Öffnung gebeugt hatte. „Aber schnell verhindert Dunkelheit die weitere Sicht ... Welch abscheulicher Gestank da aufsteigt!“

„Komm weg!“ drängte Wulfher. „Dieser Gestank kann nicht von der Erde stammen. Der Schacht muß in einen römischen Hades führen – oder vielleicht in die Höhle, wo das Gift der Schlange auf Loki träufelt.“

Cormac achtete nicht auf ihn. „Ich sehe jetzt die Falle“, sagte er. „Die Platte hält ihr Gleichgewicht auf einer Art Drehzapfen, und hier ist der Hebel, der sie kippt. Wie es gemacht wurde, weiß ich nicht, aber jedenfalls löste sich der Hebel, und die nur noch auf einer Seite vom Drehzapfen gehaltene Platte fiel . . ."

Er unterbrach sich und starrte auf den Grubenrand. „Blut!" rief er. „Seht doch, Blut!"

„Das Ungeheuer, das du verwundet hast, muß in dieses Loch gekrochen sein", brummte Wulfher.

„Ich habe es nicht verwundet, sondern getötet!" berichtigte Cormac ihn. „Und Tote kriechen nicht. Jemand muß es hierhergeschleppt und hinuntergeworden haben. Hört!"

Die Krieger kamen näher heran. Von irgendwo weit unten – aus ungeheurer Tiefe, wie es schien – waren Geräusche zu hören: ein gräßliches Platschen, mit anderen, unbeschreibbaren Geräuschen vermischt.

Wie ein Mann wichen die Krieger vom Schacht zurück und umklammerten ihre Waffen.

„Stein brennt nicht", knurrt Wulfher und verlieh so auch den Gedanken der anderen Ausdruck. „Es gibt nichts zu plündern hier und auch keine Menschen. Laßt uns verschwinden."

„Wartet!" Der Gäle hatte die besten Ohren. Er warf den Kopf wie ein Jagdhund zurück. Er runzelte die Stirn und schlich auf einen der Bogeneingänge zu.

„Ein Mensch stöhnte", flüsterte er. „Habt ihr es denn nicht gehört?"

Wulfher legte den Kopf schief und drückte lauschend eine Hand ans Ohr. „Ja – muß in dem Korridor dort sein."

„Folgt mir!" stieß der Gäle hervor. „Haltet euch dicht beisammen. Wulfher, faß mich am Gürtel. Hrothgar, du hältst Wulfhers, und Hakon, Hrothgars. Es gibt vielleicht noch weitere dieser Teufelslöcher. Ihr anderen sucht Schutz hinter euren Schilden, und bleibt eng beisammen."

So zwängten sie sich durch den schmalen Eingang. Sie stellten fest, daß der Korridor dahinter bedeutend breiter war, als sie angenommen hatten. Es war auch dunkler hier, aber weiter unten wurde es heller wie von einem Licht.

Sie eilten darauf zu und hielten an. Hier war es wirklich heller, so hell, daß die unbeschreibbar obszönen Reliefs an den Wänden viel zu deutlich zu erkennen waren. Das Licht fiel durch mehrere Öffnungen im Dach. Und an einer Wand, zwischen den gräßlichen Reliefs, hing ein nackter Mann. Nur die ziemlich hoch angebrachten Ketten hielten ihn in etwa aufrecht. Zuerst glaubte Cormac, er sei tot, und er fand, daß das auch am besten so war, bei seinen entsetzlichen Verstümmelungen. Doch da hob der Kopf sich ein wenig, und ein schmerzhaftes Stöhnen drang aus den zerschundenen Lippen.

„Bei Thor!" fluchte Wulfherr erstaunt. „Er lebt!"

„Wasser, in Gottes Namen", flüsterte der Mann an der Wand.

Cormac nahm Hakon Snorrison eine wohlgefüllte Flasche ab und hielt sie an die Lippen des Gemarterten. Der Mann trank in würgenden Schlucken, dann hob er mit ungeheurer Anstrengung den Kopf. Der Gäle blickte in erstaunlich ruhige Augen. „Gottes Segen auf euch, meine Herren", sagte der Mann mit schwacher, ein wenig rasselnder Stimme, die zweifellos einmal stark und klangvoll gewesen war. „Sind meine Qualen zu Ende und bin ich ins Paradies eingegangen?"

Wulfher und Cormac wechselten überraschte Blicke. Paradies! Wahrhaftig ungewöhnlich würden blutbeschmierte Räuber wie wir im Tempel des Demütigen aussehen, dachte Cormac.

„Nein, nicht im Paradies“, murmelte der Mann, „denn ich hänge ja noch an diesen schweren Ketten.“

Wulfher untersuchte die Ketten. Dann hob er die Axt und sprengte die Glieder mit einem mächtigen Schlag. Der Mann sackte in Cormacs Arme. Er war zwar jetzt frei von der Wand, aber noch nicht von den schweren Eisenbändern an Hand- und Fußgelenken, die, wie Cormac jetzt sah, tief in das Fleisch schnitten.

„Ich fürchte, Euch ist nicht mehr viel Zeit beschieden, guter Herr“, sagte Cormac. „Verratet uns, wo Ihr zu Hause seid, damit wir Eurer Familie von Eurem Dahinscheiden berichten können.“

„Ich heiße Fabricus, mein Herr“, antwortete der Beklagenswerte schwer. „Ich bin überall zu Hause, wo noch Widerstand gegen die Sachsen geleistet wird.“

„Nach Euren Worten seid Ihr ein Christ“, vermutete Cormac, und Wulfher betrachtete den Gemarterten neugierig.

„Ich bin nur ein demütiger Priester Gottes, edler Herr“, wisperte Fabricus. „Aber ihr dürft hier nicht bleiben. Verlaßt mich und eilt, ehe Schlimmes Euch widerfährt.“

„Beim Blute Odins!“ schnaubte Wulfher. „Ich gehe nicht fort von hier, ehe ich nicht erfahren habe, wer imstande ist, einen hilflosen Menschen auf so grauenvolle Weise zu mißhandeln.“

„Das Böse, das schwärzer ist als die Rückseite des Mondes“, murmelte der Priester. „Vor ihm schwindet jeder Unterschied, so daß Ihr mir wie ein Bluts- und Milchbruder erscheint, Sachse.“

„Ich bin kein Sachse, Freund!“ polterte der Däne.

„Es tut nichts zur Sache – alle Menschen von Gottesgestalt sind Brüder. So spricht der Herr – nur hatte ich es nicht richtig verstanden, ehe ich an diesen Ort der Greuel kam.“

„Thor!“ murmelte Wulfher. „Ist das hier kein Druidentempel?“

„Nein“, erwiderte der Sterbende. „Kein Tempel, in dem Menschen, selbst in ihrem Heidentum, die reineren Formen der Natur verehren. O Gott, sie bedrängen mich! Hebt euch hinweg, stinkende Dämonen der Finsternis – kriechende Kreaturen roten Chaos und heulenden Irrsinns – schlüpfrige, lauernde Blasphemien, die sich wie Schlangen in den Schiffen der Römer verbargen – grauenvolle Ungeheuer, dem Urschleim des Orients entschlüpft, in reinere Länder versetzt, wo sie in guter britischer Scholle neue Wurzeln schlugen – Eichen älter als die Druiden, die sich von Monstrositäten unter dem schwellenden Monde nähren . . .“

Das dem Fieberwahn entsprungene Gestammel erstarb. Cormac schüttelte den Priester leicht. Der Sterbende schaute zu ihm hoch, als erwache er aus tiefem Schlaf.

„Geht! Ich flehe euch an“, wisperte er. „Sie haben mir Schlimmes angetan. Und euch werden sie mit ihrem bösen Zauber betören – sie werden euren Leib zerstören, wie sie es mit meinem gemacht haben, und dann werden sie versuchen, eure Seelen zu brechen, wie es ihnen mit meiner gelungen wäre, hätte nicht mein unerschütterlicher Glaube an unseren guten Herrgott sie davor bewahrt. *Er* wird kommen, der Hohepriester des Bösen mit seiner Heerschar der Verdammten. Ah, schon naht er! Beschütze uns Gott!“

Cormac fletschte die Zähne wie ein Wolf, und der riesenhafte Wikinger wirbelte herum und grollte wie ein gestellter Löwe. Ja, etwas kam einen der kleineren Seitengänge des breiten Korridors entlang. Das Klappern unzähliger Hufe auf den Marmorfliesen war zu hören. „Schließt die Reihen!“ brüllte Wulfher. „Bildet einen Schildwall, Wölfe, und sterbt mit blutigen Äxten!“

Schnell formierten die Wikinger sich zu einem Halbmond aus Stahl um den sterbenden Priester, mit dem Rücken zu ihm. Und schon stürmte eine grauenvolle Horde durch die dunkle Öffnung in den helleren Teil des Korridors. Einer Sturzflut schwarzen Wahnsinns und roten Schreckens gleich, wogten sie herbei. Die meisten der Alptraumgeschöpfe waren ziegenähnliche Kreaturen mit Menschenhänden. Sie liefen aufrecht, und ihre Gesichter sahen aus wie die einer schrecklichen Kreuzung aus Ziege und Mensch. Doch befanden sich noch grauenerregendere Kreaturen unter ihnen. Und hinter ihnen allen bemerkte Cormac in der Dunkelheit des gewundenen Korridors, aus dem die Horde kam, eine im düsteren Licht des Bösen schimmernde Gestalt. Ihre Züge wirkten auf gespenstische Weise menschlich, ohne es wirklich zu sein. Und schon brandete die abscheuliche Schar gegen den Schildwall.

Die Waffen der Kreaturen waren ihre Hörner, Fänge und Klauen. Sie kämpften wie Tiere, doch ohne deren natürliche Schlauheit und Gewandtheit. Mit vor Kampfeslust blitzenden Augen und schier knisternden Bärten schwangen die Wikinger ihre todbringenden Streitäxte. Stoßende Männer, reißende Klauen und schnappende Kiefer ließen Blut in Strömen fließen, doch durch ihre Helme, Kettenhemden und den Schildwall gut geschützt, trugen die Dänen keine ernsthaften Verletzungen davon, während ihre zischenden Klingen und spitzen Speere unerbittlichen Tribut von ihren ungeschützten Gegnern forderten.

„Thors Blut!“ fluchte Wulfher und spaltete eines der Ziegenwesen mit einem Hieb seiner blutbesudelten Axt in zwei Hälften. „Da siehst du, du Ausgeburt von Helheim, daß es schwerer ist, bewaffnete Krieger zu töten, als einen nackten Priester zu martern!“

Die Höllenhorde wich unter diesem Hagel blitzenden

Stahles zurück, doch der in den Schatten kaum zu sehende Mann trieb sie mit seltsamen Singsangworten, die die Menschen nicht verstanden, wieder auf sie zu. So warfen die Kreaturen sich erneut mit blinder Heftigkeit in den Kampf, bis ihre Kadaver sich vor den Füßen der Wikinger häuften und die wenigen Überlebenden die Flucht ergriffen. Die Dänen wollten ihren Schildwall auflösen, um sie zu verfolgen, doch Wulfher hielt sie mit einem Brüllen zurück. Cormac jedoch war bereits, als die letzten der gräßlichen Kreaturen flohen, über die Kadaverhaufen gesprungen und raste den gewundenen Korridor hinab, um den zu fangen, der sich ihnen hatte entziehen wollen. Der Fliehende bog in einen anderen Gang ein und rannte hinaus in die Kuppelhalle, wo er sich schließlich seinem Verfolger stellte. Ein hochgewachsener Mann mit nichtmenschlichen Augen und fremdartigem, dunklem Gesicht war er, von seltsamem Zierrat abgesehen, nackt.

Mit seinem kurzen Grummschwert versuchte er, den hitzigen Angriff des Gälen abzuwehren. Aber Cormac trieb den Gegner in seiner rasenden Wut wie ein Blatt im Wind vor sich her. Was immer dieser Hohepriester auch sein mochte, sterblich war er, denn er zuckte jedesmal zurück und fluchte in einer merkwürdigen Sprache, wenn Cormacs lange schmale Klinge seine Verteidigung durchbrach und ihm blutige Wunden am Kopf, an der Brust und an den Armen zufügte. Unaufhaltsam drängte der Gäle ihn immer weiter zurück, bis er zitternd am Rand des offenen Schachtes stehenblieb. Und da, als Cormacs Schwertspitze in seine Brust stieß, taumelte er und fiel mit einem grauenvollen Schrei rücklings in das Loch.

Eine schier endlose Weile, wie dem Gälen schien, schallte der Schrei von den Schachtwänden wider, bis er schließlich, schwächer und schwächer werdend, in unvorstellbarer Tiefe erstarb. Und von weit dort unten drangen Geräusche wie von einem gräßlichen Schmaus empor. Cormac grinste grimmig. Im Augenblick konnten ihn nicht einmal die abstoßenden Geräusche aus dem Abgrund aus seiner rasenden Wut reißen. Er war der Rächer, und er hatte soeben einen erbarmungslosen Folterknecht, der einen seiner Rasse zu Tode gemartert hatte, der gerechten Strafe im Schlund eines allesverschlingenden Ungeheuers zugeführt...

Cormac drehte sich um und stapfte zu Wulfher und seinen Mannen zurück. Ein paar der Ziegenwesen überquerten den düsteren Korridor vor ihm und ergriffen bei seinem Anblick meckernd die Flucht. Der Gäle achtete nicht auf sie. Schließlich war er bei Wulfher und dem sterbenden Priester.

„Ihr habt den Schwarzen Druiden getötet", wisperte Fabricus. „Ja, sein Blut klebt an Eurer Klinge. Selbst durch die Hülle hindurch sehe ich es leuchten, auch wenn andere es nicht sehen können, und so weiß ich nun, daß ich endlich sprechen darf. Vor den Römern, vor den wahren keltischen Druiden, vor den Gälen und sogar vor den Pikten gab es bereits den Schwarzen Druiden – den Lehrer der Menschheit – dazu, jedenfalls, machte er sich auf seine eigene Weise selbst. Er war der letzte der Schlangenmenschen, der letzte jener Rasse, die vor dem Erwachen der Menschheit über die Erde herrschte. Sein war die Hand, die Eva den Apfel reichte, und so war er verantwortlich für Adams Vertreibung aus dem Paradies. Mit dem Schwert tötete König Kull von Atlantis im verzweifelten Kampf die letzten seiner Brüder. Er allein überlebte und nahm Menschengestalt an, um das satanische Wissen längst vergangener Zeit weiterzugeben. Ich sehe jetzt vieles, was das Leben verbarg, die sich öffnenden Pforten des

Todes offenbaren. Vor den Menschen waren die Schlangenwesen, und vor ihnen die Alten mit den Sternenköpfen, die die Menschheit schufen und später die gräßliche Ziegenbrut, als sie erkannten, daß der Mensch ihren Zweck nicht erfüllen würde. Dieser Tempel ist das letzte Bollwerk ihrer verfluchten Zivilisation über dem Erdboden – und darunter bemüht sich der letzte Shoggoth der Oberfläche dieser Welt nahezubleiben. Die Ziegenkreaturen streifen nur noch des Nachts über die Hügel, denn sie fürchten jetzt die Menschen. Die Alten und die Shoggoths verbergen sich tief im Innern der Erde, bis zu jenem Tag, da Gott sie vielleicht als seine Geißel ruft – wenn der Tag des Jüngsten Gerichts gekommen ist . . ."

Der alte Mann hustete und röchelte. Cormacs Haut kribbelte. Zuviel dessen, wovon Fabricus gesprochen hatte, rief uralte Erinnerungen seiner Rasse in dem Gälen hervor.

„Ruht Euch aus, Freund", sagte er. „Dieser Tempel dieses *Bollwerk*, wie Ihr es nennt, wird nicht mehr lange stehen."

„So ist es", pflichtete Wulfher ihm seltsam bewegt bei. „Jeder Stein dieses Bauwerks soll dazu beitragen, die Grube zu füllen, die darunter liegt!"

Auch Cormac verspürte eine ungewöhnliche Ergriffenheit – weshalb hätte er selbst nicht zu sagen gewußt, denn allzu oft schon hatte er den Tod gesehen. „Christ oder nicht, Euer ist eine tapfere Seele, Alter. Ihr sollt gerächt werden . . ."

„Nein!" Fabricus hob eine zitternde, blutleere Hand. Sein Gesicht schien von innen heraus zu leuchten. „Ich sterbe, und Rache bedeutet meiner scheidenden Seele nichts. Ich kam zu diesem Ort des Bösen mit dem Kreuz des Herrn, und ich sprach die läuternden Worte Gottes. Ich war bereit zu sterben, wenn nur die Welt von diesem Finsteren befreit würde, der den Tod so vieler auf so grauenvolle Weise herbeiführte, und der unser aller Untergang plante. Und Gott erhörte mein Gebet, denn er schickte euch. Ihr habt die Schlange getötet, so bleibt ihren Ziegengeschöpfen nichts übrig, als auf die bewaldeten Berge zu fliehen, und der Shoggoth kann nichts anderes tun, denn in die finstere Hölle zurückzufahren, der er entstieg." Fabricus griff nach Cormacs Rechten mit seiner Linken, und Wulfhers Hand mit der Rechten, und sagte: „Gäle – Nordmann, trotz verschiedener Rassen und anderen Glaubens seid ihr doch Menschenbrüder. Seht!" Ein unwirkliches Leuchten schien aus seinen Zügen zu strahlen, als er sich mühsam auf einen Ellbogen stützte. „Es ist, wie der Herr mir sagte – alle Unterschiede zwischen uns verblassen vor der Bedrohung durch die Mächte der Finsternis. Ja, wir sind alle Brüder . . ."

Der gütige Christenpriester schloß die Augen zur ewigen Ruhe. In grimmigem Schweigen umklammerte Cormac das blanke Schwert, dann atmete er tief und entspannte sich.

„Was hat der Alte gemeint?" brummte er schließlich.

Wulfher schüttelte die zottige Mähne. „Ich weiß es nicht. Der Wahn hatte nach ihm gegriffen und ihn in den Tod geführt. Aber er besaß Mut, denn ging er nicht furchtlos in sein sicheres Geschick, so wie ein Berserker in die Schlacht, ohne des Todes zu achten? Er war ein tapferer Mann – doch dieser Tempel ist ein verfluchter Ort, dem wir besser den Rücken kehren . . ."

„Ja – und je schneller desto besser."

Cormac schob sein Schwert klirrend in die Scheide. Wieder atmete er tief.

„Auf nach Wessex!" brummte er. „Wir wollen unsere Klingen mit Sachsenblut säubern!"

DIE VERSTEINERTEN

von

Hannes Bok

Die goldene Sonne sank müde auf ihren blauen Diwan am Horizont. Ein duftender Lufthauch schwebte durch ihren Strahlenkranz. Er liebkoste die schmalen harten, gelben Wangen des Kaisers Po Ko und spielte mit den Pfauenfedern des Fächers, den er in einer Hand mit grell lackierten Fingernägeln hielt. Der Herrscher saß auf seinem Mittwochsthron aus Silber und Malachit auf der obersten Terrasse seines Gartens. Er war ein hochgewachsener, hagerer Mann, wie eine Kamee aus gelbem Eis, und seine leuchtend blaue Robe, kunstvoll mit feuerspeienden Drachen bestickt, hing lose in wallenden Falten von seinen schmalen Schultern.

Neben dem Kaiser saß tief in einem Goldbrokatkissen Prinzessin Pei Wei, die süße Blume der Unschuld, die an Ufern scharlachroter Seen im Traumland blüht, wenn der Mond auf die hohen weißen Gipfel Ku Chus scheint. Ku Chu ist das Land der Rätsel und immerwährender Schwermut, wo – außer bei Sonnenuntergang – keine Störche fliegen. Pei Wei war ein zierliches, kleines Geschöpf, einer wandelnden Blume gleich, mit sanften Kurven und üppigen Rundungen, wie die einer Tschittschitnuß, wenn sie ihre Schale sprengt und in saftiger Reife ins Gras fällt. Ihr hellrosa Gewand betonte die Zartheit und satinene Sanftheit ihrer milchweißen Haut. Ihre dunkelbraunen Augen ruhten flehentlich auf des Herrschers Gesicht. Im Moment ließ er sich herab, ein Gespräch mit dem Oberhohen Lord Glagla, seinem Verweser, zu führen.

„Ah, verabscheuungswürdiges Nagetier, das sich in den Eingeweiden eines Schweines verkriecht“, sagte er gerade mit einem dünnen Lächeln und fächelte dabei in Richtung des kauernden Häuflein Elends, das sein Verweser war. „Es ist Unser ruhmvollster Einfall, eine Pilgerfahrt zu unternehmen."

„Ah", sagte der Verweser, „zum Mausoleum Eurer erlauchten Vorfahren, nehme ich an, um Euch dort Rat von Euren Vorvätern zu holen?"

Der Kaiser schüttelte so heftig den Kopf, daß seine Satinkappe fast bis auf die Schulter rutschte. „Nein, Wurm, den unter Unseren Füßen zu zermalmen Wir uns nicht herabließen", erwiderte er mit einem spöttischen Lächeln, um seine brillantbesetzten Zähne zu zeigen. „Wir haben nicht die Absicht, Unsere toten Verwandten mit Unserer lebendigen Gegenwart zu beehren. Wir wollen uns ins Tal der Vierzehntausend Unterernährten Aasgeier begeben, um dort die uralte Zauberformel zu sprechen, die die Tore zur Kur'czu öffnet und dem dort hausenden Magier das Juwel der Macht entreißt."

Während er sprach, ruhte sein Blick verstohlen auf dem bleichen Gesicht der Prinzessin Pei Wei, die bei seinen Worten erschauderte. Sie hob ein zierliches Händchen, als wolle sie ihn beschwören, sein Vorhaben aufzugeben, aber ein tadelndes Kopfschütteln hielt sie davon ab. Die kleine Prinzessin rückte seufzend ein wenig in ihrem dicken Kissen zurück, erstens, weil eine ihrer silbernen Broschen sich gelöst hatte, zweitens, weil sie den Kaiser von ganzem, sanftem Herzen verehrte.

Der Verweser erhob sich aus seiner zusammengekauerten Haltung und offenbarte sich als ein krötenähnlicher alter Mann mit sichelförmigem schwarzem Schnurrbart und scharfen kleinen Augen wie die eines Wildschweins. „Begebt Euch nicht in dieses schreckliche Tal, o Allerhöchster! Ganz gewiß würde Euch dort

Schlimmes zustoßen! Außerdem brummen Eure Untertanen schon jetzt wie ein zu wohlgenährter Bauch. Sie raunen, daß Ihr die Steuergelder verschwendet, die Ihr aus ihnen quetscht, und sie stecken die Köpfe zusammen und flüstern von Aufruhr."

Gleichmütig zupfte der Kaiser eine Feder aus seinem Fächer, betrachtete sie, dann ließ er sie achtlos fallen. „Die Schnecken sammelten sich zu einem Aufstand gegen ihren Herrn, den Elefanten, doch alles, was sie erreichten, war ein Ende ihrer irdischen Schmerzen – wenn du weißt, was Wir meinen."

Die Stimme der kleinen Pei Wei klang wie fliegende Wassertropfen, die auf den Mondscheinsaiten einer Harfe aufschlagen. „O mein Gebieter!" rief sie. „Reist nicht allein in das Tal der Vierzehntausend Unterernährten Aasgeier. Tut es nicht, ich flehe Euch an! Ich liebe Euch aus der Tiefe meines Busens (so klein er auch sein mag). Ließet Ihr mich allein, ich würde mich zu Tode härmen!"

„Hmpf!" brummte der Kaiser eine Spur zu kalt. „Sollte das wahrlich geschehen, müßte ich sehr lange weg sein. Da ich aber die Absicht habe, nur eine Woche fortzubleiben, besteht keine Gefahr, daß du vor Gram dahinsiechst."

Die fleischigen kurzen Finger des Verwesers drehten seinen Schnurrbart zu einer Brezel. „Aber, o Gebieter meines Leibes und meiner Seele (ganz von denen meiner tausend Vorfahren zu schweigen), was wollt Ihr denn an diesem furchtbaren Ort tun?"

Der Kaiser wartete eine volle Minute, ehe er antwortete, und auch nur, um seinem Unwillen Ausdruck zu verleihen. „Ich las in den Schriftrollen des weisen Wak Kee, daß, wer immer die Worte der Macht ausspricht und sich in die Nähe des Zauberers begibt, das Juwel ergreifen und sich alle Menschen in seinem Einflußbereich gefügig machen kann. Ich werde dieses Juwel an mich nehmen, es hierherbringen und die Steuern erhöhen. Ich brauche einen neuen Thron für den Schaltjahrtag."

Pei Wei hob wehklagend die Hände. „O Mächtiger, ich darf es nicht dulden, daß Ihr mich allein laßt!" Sie befreite sich seufzend aus ihrem Kissen und kniete sich neben den Kaiser. Ihre zerbrechlichen Fingerchen, fünf schmalen Zuckerdatteln gleich, gruben sich in seine prunkvolle Robe. „Sagt, daß ich mit Euch gehen darf! Bin ich nicht schön? Habt Ihr nicht am Nektar meiner Lippen genippt, wie ein Schmetterling am Tau einer Rose? Bewundert den Vollmond meines Antlitzes, die Jadeseen meiner Augen! Und nun erlaubt, daß ich Euch begleite."

Eine Schulter des Verwesers zuckte. Der Kaiser bemerkte es und brummte: „Nun, immerhin verbrachten wir einen Monat von Sonntagen mitsammen – wenn auch nur die Sonntage – und so empfinde ich eine gewisse Zuneigung für dich, so wie ich sie für die sonnengeküßte Blüte verspüre, die mit dem Ende des Tages dahinwelkt."

Zitternd vor Freude sank die Prinzessin in ihr Kissen zurück, und ungetrübte Wonne strahlte aus ihrem Gesichtchen. Sie sprach kein weiteres Wort, aber der Verweser öffnete die Lippen: „Habt Ihr denn in dieser Schrift nicht gelesen, daß der Zauberer jeden, der in sein Reich eindringt, in eine steinerne Statue verwandelt? Wollt Ihr wahrhaftig die Gefahr eines so gar erschrecklichen Geschicks auf Euch nehmen?"

Der Kaiser sprang auf und schritt auf den blauglasierten Fliesen der Terrasse hin und her. „Glaubst du vielleicht, Wir fürchten uns vor einem blutlosen Hexer, dem der Verstand fehlt, sein eigenes Zauberjuwel zu verwenden? Wir sind ein wahrer Tiger an Kraft, ein

Löwe an Mut und eine Schlange an List. Wir brechen morgen bei Tagesgrauen auf. Und du, o mein getreuer Glagla bleibst hier und nimmst dich der Staatsgeschäfte an."

Der Verweser verbeugte sich dreimal so tief, daß seine Stirn den Boden berührte. Dann richtete er sich auf, wischte sich den Staub ab und schritt rückwärtsgehend die Terrassentreppe hinab.

Im bleichen Sternenlicht, das einem grauen Morgen vorherging, wand sich der Zug des Kaisers Po Ko hinab von den eckigen Türmen und den leeren weißen Gesichtern der Paläste der Kaiserlichen Stadt Oa, was soviel heißt wie: „Flußbett, das einst von der Göttin Kow Tow und ihrem Gefolge von neunhundertundvier Jungfrauen besucht wurde." Es war eine farbenprächtige Kolonne, selbst in der bläulichen Halbdämmerung, denn an ihrer Spitze ritten tausend Krieger in stählernen Harnischen und mit langen Speeren, die wie Eiszapfen glitzerten, auf Elefantenbullen. Ihnen folgte die Kaiserliche Musikkapelle in Dreierreihen, jede Reihe mit anderen Instrumenten: Trommeln, Gongs, Tschinellen, Kristallglöckchen, Flöten und Trompeten. Begleitet wurde sie von dreißig ausgesucht schönen Mädchen, die ihren *Sarawaks* spritzige Glissandos entlockten.

Danach kamen Tänzerinnen in hauchdünnen Gewändern von allen Regenbogenfarben. Ihre Schleiertücher wirbelten wie sturmbewegte Wolken, wenn sie sich drehten. Ihnen anschließend trugen Sklaven die dicht mit prächtigen Federbüschen verzierte Sänfte des Kaisers. Auf ihren Kissen, so weich wie saftige reife Pflaumen, ruhte des Kaisers Katze.

Der Herrscher selbst saß, sich bescheiden gebend, auf einem zotteligen baktrischen Kamel, ganz in düsteres

Braun gehüllt – das Kamel, nicht der Kaiser, der trug heute Scharlachrot. Hinter ihm hatte die schöne Pei Wei es sich in einer von schneeweißen Stieren getragenen Sänfte bequem gemacht. Wenn sie überhaupt gewandet war, ist es zumindest nirgendwo aufgezeichnet. Wachen bildeten die Nachhut dieser Karawane.

Langsam schlängelte der prunkvolle Zug sich von der Kaiserstadt über die staubige Ebene zu den steilen Höhen voraus. Eine kalte Brise pfiff herab und flüsterte von den Schrecken und dem Unheil, das der Reisenden harrte.

Endlich hatte die Kolonne kurz vor Sonnenaufgang die Höhe über dem Tal der Vierzehntausend Unterernährten Aasgeier erreicht. Für einen ängstlichen Menschen war die Aussicht, die sich hier bot, beklemmend. Tief unten lag das Tal wie eine zersprungene, rauchgeschwärzte Schale. Verstreut in ihm sah man etwas, das an gigantische Totenschädel erinnerte, die, wer weiß seit wie langer Zeit, von jeglichem Fleisch entblößt waren. Und weiße Schlangen von unvorstellbarer Größe wanden sich durch eine Augenhöhle hinein und aus den weit aufgesperrten Kiefern wieder heraus, so daß es den Eindruck erweckte, als stießen diese knochigen Münder ektoplasmische Verschwörungen aus. Erst als die Sonne etwas höher gestiegen war, offenbarte ihr stärkeres Licht, daß diese Totenschädel in Wirklichkeit weiße Meteoriten waren, und die Schlangen lediglich Dunstschwaden.

„Hinab!" brüllte der Kaiser und deutete majestätisch, während er seinem Kamel die Sporen gab. Aber die anderen zauderten starr vor Furcht und blieben, wo sie waren. Nur die kleine Pei Wei und ihre fünfzig schneeweißen Stiere wagten es, dem Herrscher zu folgen. Hinunter trotteten sie den Serpentinenweg, den man selbst mit bestem Willen nicht als Straße bezeichnen konnte. Ihre Gestalten wurden mit der Entfernung immer kleiner, bis sie nur noch Fünkchen einer erlöschenden Glut waren.

Po Ko hielt sein Kamel an und sprang leichtfüßig auf den Boden, so unbeschwert, wie ein Blütenblatt auf den Spiegel eines stillen Weihers schwebt. Pei Wei reichte ihm die Hand. Der Kaiser küßte sie, dann half er der Prinzessin aus ihrer Sänfte.

Und nun standen die beiden allein in dem Tal, mit fünfzig Stieren und einem baktrischen Kamel, unmittelbar vor dem größten der Meteoriten. Der Kaiser hob weitausholend die Arme, mit einem verstohlenen Blick zurück und hoch, um sich zu vergewissern, daß sein Gefolge auf der Bergkuppe auch bewundernd zu ihm herunterschaute, dann rief er mit mächtiger Stimme:

„Öffne dich, Reich des schrecklichen Hexers Chen yu!"

Einen Augenblick herrschte unheilschwangeres Schweigen, das nur das Echo des Kaisers Stimme brach. Dann grollte tief unter ihren Füßen ein furchterregendes Donnern. Ein einstimmiger Schreckensschrei löste sich aus den Kehlen all jener, die vom Berg herabsahen. Der Meteorit erbebte unter der Lautstärke dieses noch anschwellenden Schreies. Er zersprang in zwei Hälften, aus denen sich eine dunkle Wolke bald tiefkreisender Aasgeier löste. Ihr Flügelschlag wirbelte den Staub des Tales auf, und ihre Schwingen verbargen das Antlitz der Sonne.

Der Kaiser blieb mutig stehen, wo er war, aber Pei Wei zitterte am ganzen Leib. Sie rannte zu Po Ko, und ihre sanften Finger klammerten sich an sein Gewand. „O mein Gebieter!" wimmerte sie. „O meine Vorväter!" rief er und wich keinen Schritt, obgleich die kreisenden Aasgeier drohend herabtauchten und die Schnäbel wetzten – alle vierzehntausend!

Erneut schrien die Zuschauer auf der Kuppe ihre Verzweiflung hinaus und ergriffen wie ein Mann (obgleich sich viele Frauen unter ihnen befanden) die Flucht, daß ein schreckliches Durcheinander von Kamelen, Elefanten, Pferden, Tänzerinnen und der Katze des Kaisers entstand.

Die Wolke von Aasgeiern löste sich auf, und im noch weiter berstenden Meteoriten wurde eine schwarze Treppe sichtbar, die bis tief in den Schoß der Erde führte (aus dem das Donnergrollen kam). Pei Wei schaute ängstlich hinunter, aber Po Ko kannte keine Furcht. Er straffte die Schultern und schritt voran. Pei Wei zitterte, doch sie ging auf Zehenspitzen hinter ihm her. Es war sehr dunkel in dieser Ruine des Meteoriten, doch weiter unten glomm ein schwaches Licht. Schatten waren überall. In dieser schier unirdischen Finsternis, die sich vor allem auf das Gemüt der kleinen Prinzessin legte, war ihnen, als wären sie blind geboren, oder als hätte es nie eine Sonne gegeben.

Allmählich wurde der Lichtschimmer stärker. Sie erreichten den Fuß der Treppe und mußten sich bükken, um durch einen niedrigen Tunnel zu gelangen. Hier stellten sie fest, daß das Licht aus einer Türöffnung kam, aber aus einer sehr, sehr kleinen. „Ihr Götter!“ seufzte Pei Wei, „wie soll ich mich da hindurchzwängen?“

„Auch große Schiffe fahren durch kleine Kanäle“, sagte ihr Gefährte weise. „Ja“, antwortete sie süß, „doch der Schwan versucht gar nicht erst, sich in ein Sperlingsnest zu setzen.“ „Selbst die Rose schließt ihre betörenden Lippen in der Dunkelheit“, knurrte Po Ko gereizt. „Ja, doch nur in der Finsternis der Muscheln werden Perlen geboren“, erwiderte die Prinzessin mit glockenheller Stimme, aber sie verstand sehr wohl, was er meinte.

Als sie die Türöffnung erreichten, war sie gar nicht so schmal, wie sie aus der Ferne ausgesehen hatte, und die zierliche Pei Wei hatte keinerlei Schwierigkeiten hindurchzugelangen. Sie kamen in eine riesige Höhle, von deren Wänden Wasserschleier wallten, die von künstlichen Sonnen beleuchtet wurden. Vor ihnen erhob sich die goldene Kuppel von Chen yus Palast wie eine Perle aus vergüldetem Glas, die auf einem Quecksilbersee schwimmt.

Sie schritten darauf zu. Pei Wei zitternd ob all dieser Fremdartigkeit, Po Ko kühn und furchtlos. Links von ihnen teilte sich plötzlich der Wasserfall wie ein Vorhang aus aufgereihten Kristallkügelchen, und heraus trat eine kleine, krumme Gestalt, gleich einem aus schmutzigen Spinnengewebe nachgeahmten Schatten. Sie verharrte einen Augenblick und betrachtete sie, dann trat sie hinunter auf den Höhlenboden und kam auf die beiden Eindringlinge zu. In einer magischen Gebärde hob sie die Hand, und sofort hörten die Wasserfälle zu fließen auf. Als wäre ein Denkmal für die Öffentlichkeit enthüllt worden, offenbarten sich ihnen Reihen um Reihen von Statuen – obwohl kubistisch und verzerrt, waren sie doch noch als ehemalige Menschen, Raubtiere, Vögel, ja sogar Fische zu erkennen. Sie hatten als Augen Edelsteine, die in einem harten Licht funkelten, daß man meinen konnte, sie lebten und zwinkerten. Pei Wei schrie erschrocken auf, keuchte, würgte, röchelte, dann fiel sie zu Boden. Po Ko fragte sich, ob sie wirklich ohnmächtig war oder nur so tat. Aber er brauchte sie im Augenblick nicht, und hier war sie sicher, während er das Juwel stahl. Also schritt er unbeirrt weiter.

Doch bei ihrem Schrei wirbelte der kleine Zauberer herum, denn er war die krumme, schattenähnliche Gestalt. Er eilte zu dem Mädchen und bückte sich. Der Kaiser blieb unsicher stehen und sah zu, wie Chen yu mit seinen Krallenfingern über ihr seidiges schwarzes Haar strich, und während er es tat, löste er ihr Brillantkrönchen und ließ es in seiner wallenden Robe verschwinden. Dann hob er das zierliche Mädchen auf seine hageren Arme und stapfte in seine Behausung, ohne den unentschlossenen Po Ko auch nur eines Blickes zu würdigen.

Der Kaiser wußte nicht, was er tun sollte. Achtlos brach er einer der Statuen mit einem Stein, den er warf, die Nase ab. (Er hatte eigentlich auf das Edelsteinauge gezielt, aber seine langen Fingernägel hatten den Wurf daneben gelenkt. Schließlich entschied er sich, Chen yu in den Palast zu folgen – aber was sollte er zu dieser finsteren, verkrüppelten Kreatur sagen? Wie konnte er das Juwel der Macht von ihr erlangen? Und waren diese Statuen wirklich aus Marmor gehauen, wie sie aussahen, oder versteinerte Menschen, die Eindringlingen als Warnung dienen sollten?

Der Magier hatte das mächtige Portal seiner prunkvollen Behausung erreicht. Gerade, als Po Ko endlich beschlossen hatte, ihn aufzuhalten, flog die riesige Bronzetür knarrend zu. Nun war Pei Wei eine Gefangene im Palast – wie konnte er sie retten? Sollte er es überhaupt versuchen, oder in die Hauptstadt zurückkehren und sie ihrem Schicksal überlassen, was immer das sein mochte?

Nein, letzteres würde er nicht tun. Er zog sich in den Schatten eines blühenden *Kwaidphus* zurück und fuhr mit seinem nach Tannen duftenden Schnupftuch über einen Stein, ehe er sich darauf niederließ. Müde wischte er sich die Stirn und brütete über seinen nächsten

Schritt nach. „Ich werde ganz einfach hier sitzenbleiben“, sagte er laut, „und abwarten, bis etwas geschieht.“ Und zu seiner eigenen Beruhigung fügte er das alte Sprichwort hinzu: „Auch wenn der Fluß verflucht ist, fließt er nicht in die Hölle.“

So ruhte er sich eine lange Weile aus, bis plötzlich ohrenbetäubende Blechmusik aus des Magiers Palast erschallte. Die Flügel der mächtigen Bronzetür schwangen auf, und heraus schwärmte eine ganze Horde dreibeiniger roter Kobolde mit feurigen Augen an den Spitzen hoher Fühler. Sie zogen alle an einem Tau und ächzten im Rhythmus zu einer wimmernden Melodie. Schließlich kam eine neue Statue in Sicht. Von gräßlichem Aussehen war sie, mit ihren wirren, scharfen Kanten und den unsymmetrischen Flächen. Mit entschuldbarer Mühe erkannte Po Ko sie als grobe Karikatur Pei Weis.

Während er sie neugierig beobachtete, zerrten die Dämonen die Statue zu einem leeren Piedestal an einem Ende der Höhle. Sie hoben die Skulptur darauf, dann tanzten sie schrill kreischend um sie herum. War es wirklich die echte, zu Stein verzauberte Pei Wei oder eine hastig aus Marmor gehauene, verzerrte Abbildung?

Unmöglich, es festzustellen, aber jetzt war Po Kos Chance, sich in den Palast zu stehlen, während die Kobolde beschäftigt waren und die Flügel der Eingangstür offenstanden. Lautlos wie ein sich seiner Beute anschleichender Puma kroch er aus dem Schatten des *Kwaidphus*, und mit einem Blick über die Schulter verschwand er im Palast. Er rannte durch lange Korridore, die wie Straßen durch Wälder aus schwarzen Marmorsäulen führten, und gelangte schließlich zum Thronsaal Chen yus. Aber der Zauberer saß auf seinem erhabenen Thron und erwartete ihn: Als Po Ko eintrat, schlug Chen yu heftig auf einen Gong neben sich, daß es laut durch die endlosen Korridore hallte und der Gongschlag auch noch außerhalb des Palasts zu hören war und an die Ohren der hüpfenden, hopsenden Kobolde drang.

Jauchzend rannten sie, sich halb überschlagend, in den Palast. Es war ein atemberaubender Moment. Beabsichtigten sie, Po Ko lebenden Leibes zu verschlingen, oder würde er lediglich ebenfalls in eine Statue verwandelt werden? Seine Knie wurden weich wie Gummi, seine Zähne schlugen aufeinander, sein Herz hämmerte, und seine Haare stellten sich auf und hoben die kostbar verzierte Kappe in die Höhe. Seine Haut nahm eine fahle Tönung an, er zitterte wie Apfelgelee, und er wünschte sich, er wäre nie hierhergekommen.

Chen yu wies mit einem krummen Zeigefinger auf den schreckerfüllten Monarchen. „Packt ihn!" kreischte er. Po Ko dachte und handelte gleichzeitig. Das Problem war nur, daß Gedanken und Tat nicht übereinstimmten. Er wollte zu der hohen Treppe und rannte statt dessen zur Tür, die ihn geradewegs zu dem Zauberer katapultierte. Durch den heftigen Aufprall kippte der Thron, der Magier flog durch die Luft und landete auf den hüpfenden Kobolden. Wütend schrillte Chen yu: „Auf ihn! Warum tut ihr denn nichts?"

Aber die roten Dämonen, die sich durch die Tür drängten, waren einander gegenseitig im Weg, und es dauerte eine Weile, bis sie ihre ineinander verschlungenen Glieder getrennt hatten. Inzwischen blieb Po Ko Zeit, sich etwas Neues einfallen zu lassen, und diesmal auch zu tun, was er sich überlegt hatte. Also rannte er eine steile Treppe hoch. Sofort sauste Chen yus kreischende Horde hinter ihm her. Höher und höher eilte Po Ko, doch die Meute war ihm bereits dicht auf den Fersen, außerdem führte die Treppe lediglich auf eine

Galerie. Mußte er springen? Es wäre sein Tod – aber ein sauberer Tod und jedenfalls besser, denn sich von Chen yu in eine häßliche Statue verwandeln zu lassen!

Doch als er bereits auf der Brüstung balancierte, kehrte ein wenig seiner alten Würde zurück. Er straffte die Schultern, warf einen verächtlichen Blick auf seine Verfolger und stieß das philosophische Sprichwort hervor: „Das Juwel, das ins Meer fällt, funkelt auch unter Wasser noch!" Klar und deutlich war seine Stimme zu hören. Und dann sprang er in die Tiefe. Selbst im Augenblick des Todes war er gelassen. Er rief: „Der Einfältige freut sich nur über eine Sternschnuppe, während der Weise sich etwas wünscht!"

Eine Lampe hing von einer langen Schnur von der Galerie. Im Fallen griff Po Ko danach, schürfte sich die Hand daran auf und wurde durch die Lampe aufgehalten. Dann schwang er durch die Gewalt des plötzlichen Rucks am Ende der Lampe zu einer Seite des Saales. Halbbetäubt landete er auf dem Boden. Glücklicherweise befanden die kreischenden Kobole sich noch hoch auf der steilen Treppe, also hatte er Zeit, auf die Füße zu kommen, hinaus auf den Gang zu sprinten und nach einem Versteck Ausschau zu halten.

Während er von Säule zu Säule hastete, suchten die Dämonen ihn, sahen ihn jedoch nicht. Schließlich gaben sie brummelnd und grummelnd auf und verzogen sich. Po Ko war in Sicherheit.

Nachdem er verschnauft hatte, wagte der Kaiser sich aus seinem Versteck heraus, mit nur dem einen Gedanken, aus dem schrecklichen Palast zu entkommen. Aber als er durch die Flügeltür schlich, erspähte er Chen yu. Der Zauberer kniete demütig vor der Statue, die wie eine kubistische Karikatur der kleinen Pei Wei aussah. Dann erhob er sich weinend und schmückte das Abbild mit Edelsteinen. „Meine Geliebte, meine wunderschöne Liebste!“ wimmerte er. „Verliere den Mut nicht. Wenn du deinem Liebhaber entsagst, werde ich dich in dein Selbst zurückverwandeln!“

Und, o Graus, die Statue antwortete mit einer rauhen, gräßlichen Travestie von Pei Weis süßer, glöckchenheller Stimme: „Ich werde meinem Po Ko immer treu bleiben!“

Der Kaiser erschauderte, denn nun bestand kein Zweifel mehr, daß die Statuen wahrhaftig alles blutvolle Geschöpfe gewesen waren. Vorsichtig schlich er zu dem *Kwaidphu* zurück. Die Kobolde waren inzwischen alle verschwunden. Po Ko wartete und beobachtete, wie der Hexer die Statue weiter mit Juwelen verzierte, sich die letzten Tränen abwischte und traurig, schleppenden Schrittes in seinen Palast zurückkehrte. Jetzt erst wagte der Monarch sich aus seinem Versteck. Für die bedauernswerte Pei Wei konnte er nichts mehr tun, also beschloß er, sich der Juwelen zu bemächtigen, mit denen ihr Abbild geschmückt war, und danach zu seiner Hauptstadt zu eilen. Nie wieder würde er sich mit Zauberei befassen.

Als er die erste glitzernde Edelsteinkette von der Statue hob, vernahm er ein dumpfes Mahlen, als würde etwas Schweres über den Boden geschleift. Er drehte sich um, sah jedoch niemanden, obwohl er verrückterweise den Eindruck hatte, daß die Statuen sich etwa einen Fuß oder so von ihren ursprünglichen Plätzen bewegt hatten. Er löste eine zweite Juwelenschnur von der versteinerten Pei Wei – und wieder hörte er das Knirschen. Jetzt befanden sich die Statuen noch näher. Aber wie war das möglich? Zauberei? Ein Trick des verkrüppelten Magiers?

Noch während er nach der dritten Kette griff, vernahm er das Scharren erneut. Ja, diesmal bestand kein Zweifel, daß die steinernen Abbilder sich bewegt hatten. Aus ihren Augen funkelte Leben, sie kamen auf ihn zu. Ihre Piedestale schleiften über den glatten Fliesenboden. Wenn ich mich beeile, dachte Po Ko, kann ich noch die restlichen Edelsteine der Statue an mich bringen. Doch da hörte er wieder die schreckliche Travestie von Pei Weis Stimme. „O mein Gebieter", klagte sie. „Wollt Ihr mich wahrhaftig verlassen?" Verstört fielen des Kaisers greifende Hände hinab. Unaufhaltsam näherten sich ihm die Statuen.

Mit einem schrillen Schrei, alle Würde und allen Stolz vergessend, riß der Kaiser die letzte Juwelenkette von Pei Weis Abbild. Da hörte er ein höhnisches Gelächter. Er drehte sich um. Chen yu stand am Aufgang zum Palast und schüttelte sich vor Lachen. Aber das sollte Po Ko nicht stören. Er stopfte die Kette zu den anderen in sein Gewand und sprang vom Piedestal. Als er es tat, fiel ein großer Steintropfen herab und schlug auf seinem Handgelenk auf. Er war aus einem *Auge* der Figur gerollt! Die versteinerte Prinzessin weinte!

Und nun umzingelten ihn die Statuen, drängten von allen Seiten immer dichter auf ihn ein. So eng standen sie bereits um ihn, daß er nicht mehr an ihnen vorbei konnte. Er rannte hin und her, bemühte sich, sie zur Seite zu stoßen und zu schieben, dabei fluchte er götterlästerlich. Aber sie kamen immer noch näher, zerkratzten den spiegelglatten Boden. Und nun stießen ihre Piedestale aneinander und die Skulpturen beugten sich zu ihm herab, daß er wie in einem steinernen Käfig eingesperrt war. So verstört war er, daß er nicht einmal darauf achtete, als die Juwelenschnüre aus seinem Gewand fielen, während er verzweifelt, aber vergebens mit den Fäusten auf den unnachgiebigen Stein einhämmerte.

Und dann wackelten die Abbilder auf ihren Podesten, schwankten, kippten und stürzten eines nach dem anderen auf ihn herab. Staub wirbelte auf und setzte sich langsam. Eine Hand mit langen, lackierten Fingernägeln ragte aus den Trümmern heraus. Kurz zitterte sie noch, dann bewegte sie sich nicht mehr. Po Ko war tot!

Als Chu yen schadenfroh näherkam, drang aus den steinernen Lippen Pei Weis, die noch auf ihrem Piedestal stand, mit rauher Stimme das alte Sprichwort: „Der Raffgierige stößt für eine Handvoll kalter Steine die wärmende Sonne von sich."

Chen yu schaute zu ihr hoch. „Ja", brummte er gleichgültig. „Weise Worte aus den Lippen einer Frau sind wie ein Gongschlag im Tempel der zehntausendfachen Stille!"

Woraufhin Pei Wei murmelte: „Der Mann, der aus des Nachbars Garten eine Rose stiehlt, riecht einmal an ihr, dann läßt er sie fallen." Ausnahmsweise fand Chen Yu einmal keine Antwort.

Nie wieder würde Kaiser Po Wo in seiner vergüldeten Sänfte durch die Straßen seiner herrlichen Hauptstadt getragen werden. Nie wieder würde er es sich auf seinem Montagsthron bequem machen, oder auf seinem Dienstagsthron, seinem Mittwochsthron, ja auf keinem seiner Throne. Er war tot.

Und nur Pei Wei weinte um ihn. Steinerne Tränen rollten über ihre steinernen Wangen, eine nach der anderen, bis ein ganzer Haufen glatter weißer Steinperlen ihr Piedestal und ihre weißen Steinfüße verbarg.

GEFANGEN IM SCHATTENLAND

von

Fritz Leiber

Fafhrd und der Graue Mausling waren am Verdursten. Ihre Pferde waren bereits verendet, als das letzte Wasserloch sich als ausgetrocknet herausgestellt hatte. Selbst der letzte Rest in ihren Trinkbeuteln, angereichert mit ihrer Körperflüssigkeit, hatte nicht ausgereicht, die Tiere noch länger am Leben zu erhalten. Bekannterweise sind Kamele die einzigen Geschöpfe, die ihre Reiter länger als einen oder zwei Tage durch die schier unnatürlich heißen Wüsten der Welt von Nehwon zu tragen imstande sind.

Unter der blendenden Sonne stapften sie in südwestlicher Richtung über den brennenden Sand. Trotz ihrer verzweifelten Lage und der fiebrigen Glut, die Verstand und Körper schüttelte, schlugen sie einen wohlüberlegten Kurs ein. Hielten sie sich nämlich zu weit südwärts, würden sie in die Hände des grausamen Kaisers der Ostlande fallen, dem es eine Ergötzung wäre, sie martern zu lassen, ehe er ihnen den Tod gönnte. Kamen sie dagegen zu weit nach Osten ab, würden sie vermutlich den erbarmungslosen Steppenmingolen und anderem Unerfreulichen in die Arme laufen. Aus dem Westen und Nordwesten näherten sich zweifellos bereits ihre Verfolger. Und im Norden und Nordosten lag das Schattenland, wo der Tod höchstpersönlich sein Domizil hatte. Soweit war ihnen die Geografie Nehwons nur allzugut bekannt.

In seiner niedrigen Burg im Herzen des Schattenlands grinste der Tod bereits schadenfroh. Er war überzeugt, daß er nun endlich die beiden Helden, die sich ihm bisher immer geschickt entzogen hatten, in seinen knöchernden Griff bekommen würde. Hatten sie nicht vor Jahren die Unverfrorenheit gehabt, in sein Reich einzudringen, um jeder seine erste Liebe, Ivrian und Vlana, zu besuchen, und dabei hatten sie doch auch noch aus seiner eigenen Burg seine Lieblingsmaske mitgehen lassen! Jetzt sollten sie für ihre Unverschämtheit bezahlen!

Der Tod hatte das Aussehen eines hochgewachsenen, durchaus nicht häßlichen jungen Mannes, wenn seine Wangen vielleicht auch etwas zu eingefallen und seine Haut leicht durchscheinend wirkte. Er studierte die große Karte des Schattenlands und der näheren Umgebung, die an einer dunklen Wand seines Gemachs hing. Fafhrd und der Mausling waren ein schimmernder Punkt, wie ein wandernder Stern oder ein Glühwürmchen, südlich des Schattenlands.

Der Tod verzog die dünnen Lippen und beschrieb in einem kleinen, aber schwierigen Zauber kabbalistische Zeichen mit den knochigen Fingerspitzen.

Nach Beendigung des dazugehörigen Spruches sah er zufrieden, daß sich auf der Karte eine südliche Zunge des Schattenlands in Verfolgung des glitzernden Punktes ausstreckte, der sein Opfer werden sollte.

Fafhrd und der Mausling schleppten sich weiter südwärts. Sie torkelten und taumelten. Ihre Füße und Köpfe glühten, und kostbarer Schweiß sickerte über ihre Gesichter. Um die See der Ungeheuer und die Stadt der Geister hatten sie ihre verirrten, neuesten Flammen gesucht, Mauslings Reetha, und Fafhrds Kreeshkra. Letztere war ein Ghul, deren Blut und Fleisch unsichtbar war, so daß ihre hübschen rosigen Knochen sich um so deutlicher abhoben. Reetha lief nur nackt herum und von Kopf bis Fuß geschoren. was ihr Ähnlichkeit mit dem anderen Mädchen verlieh und sie einander sympathisch machte.

Aber der Mausling und Fafhrd hatten leider die beiden nicht gefunden, dagegen aber eine ganze Horde wilder männlicher Ghuls auf Pferden von ebenso skelettigem Aussehen wie sie selbst. Und diese Meute hatte sie ostwärts und südwärts gejagt, entweder, um ihnen selbst ein Ende zu machen, oder sie in der Wüste verdursten zu lassen, oder sie in die Folterkammern des Königs der Könige zu treiben.

Es war Mittag, und die Sonne hätte gar nicht heißer brennen können. Fafhrd stieß plötzlich in der trockenen Hitze auf einen Zaun, etwa zwei Fuß hoch und zuerst unsichtbar, aber nicht lange.

Mit spröder Stimme sagte er: „Hinein in die feuchte Kühle."

Hastig kletterten sie über den Zaun und warfen sich in angenehm dichtes, gut zwei Zoll hohes Gras, auf das sich ein feiner Nebel herabsenkte. Sie schliefen ungefähr zehn Stunden.

In seiner Burg gestattete der Tod sich ein leichtes Grinsen, denn auf seiner Karte berührte die sich südwärts ausstreckende Zunge des Schattenlands den Glitzerpunkt und dämpfte seine Leuchtkraft.

Astorian, Nehwons größter Stern, ging dem Mond voraus am Osthimmel auf, als die beiden Abenteurer, ungemein erfrischt von ihrem langen Schlaf, erwachten. Der Nebel hatte sich fast aufgelöst, trotzdem war der einzige sichtbare Stern der große Astorian.

Der in seinen grauen Kapuzenumhang gehüllte Mausling sprang in seinen Rattenfellschuhen erschrocken auf. „Wir müssen uns schleunigst in die heiße Dürre zurückziehen!" rief er. „Denn hier sind wir im Schattenland, dem Reich des Todes!"

„Ein sehr angenehmer Ort", erwiderte Fafhrd und räkelte sich genußvoll im saftigen Gras. „Zurück in das salzige, sandige, versengende Landmeer? Nicht ich!"

„Aber wenn wir hierbleiben", gab der Mausling zu bedenken, „werden uns teuflische Irrlichter den Willen rauben und uns zur niedrigen Burg des Todes locken, dessen Grimm wir herausforderten, als wir seine Maske stahlen und ihre beiden Hälften unseren Zauberern Sheelba und Ningauble brachten. Das hat der Tod uns bestimmt noch nicht verziehen. Außerdem wäre es leicht möglich, daß wir hier unseren beiden ersten Mädchen, Ivrian und Vlana, in die Hände laufen, die jetzt Konkubinen des Todes sind. Das wäre keine sehr erfreuliche Begegnung."

Fafhrd schüttelte sich, doch er wiederholte eigensinnig: „Aber es ist sehr angenehm hier." Fast verlegen drückte er seine breiten Schultern in das Gras und streckte seine sieben Fuß wieder auf der so herrlich feuchten Wiese aus. (Mit den „sieben Fuß" ist natürlich seine Größe gemeint, er war keineswegs ein Oktopode, dem ein Arm fehlte, sondern ein gut aussehender, rotbärtiger, sehr großer Barbar.)

Der Mausling war hartnäckig. „Aber was dann, *wenn* deine Vlana mit blauem Gesicht und unliebend auftaucht? Oder meine Ivrian in ähnlichem Zustand?"

Diese grauenvolle Vorstellung reichte. Fafhrd sprang hoch und griff nach dem niedrigen Zaun. Aber – o Schreck! – er war verschwunden! In alle Richtungen erstreckte sich die dunkelgrüne Wiese des Schattenlands. Und der Nebel hatte sich zum Nieselregen gewandelt, der bereits den Astorian verbarg. Also war es unmöglich, die Richtung zu bestimmen.

Der Mausling kramte in seinem Rattenfellbeutel und holte eine blaue Fischbeinnadel heraus. Bei der Suche danach hatte er sich in den Finger gestochen, was ihm einen wilden Fluch entlockte. Sie war an einem Ende ungemein spitz und scharf, am anderen dagegen, wo sie ihr Öhr hatte, rund.

„Wir brauchen einen Tümpel oder zumindest eine Pfütze“, murmelte er.

„Wo hast du denn dieses Spielzeug her?“ fragte Fafhrd. „Zauber, hm?“

„Von Nattick Hurtigfinger, dem Schneider im großen Lankhmar“, entgegnete der Mausling. „Zauber? Durchaus nicht. Hast du noch nichts von Kompaßnadeln gehört, mein gescheiter Freund?“

Ganz in der Nähe entdeckten sie eine kleine Lache im Gras. Der Mausling legte die Nadel vorsichtig auf den Spiegel klaren, unbewegten Wassers. Sie drehte sich langsam und hielt schließlich an.

„Wir machen uns in diese Richtung auf den Weg“, bestimmte Fafhrd und deutete vom Öhrenende weg. „Südwärts.“ Er wußte sicher, daß die Nadelspitze zum Herzen des Schattenlands deutete – Nehwons Todespol, könnte man sagen. Einen Augenblick fragte er sich, ob es wohl auch (am anderen Ende der Welt vielleicht?) einen Lebenspol gab.

„Wir werden die Nadel vielleicht noch öfter brauchen“, sagte der Mausling und fischte sie aus der Pfütze. Wütend fluchte er, als er sich erneut damit stach.

„Hah! Wah-wah-wah-*hah*!“ brüllten drei Berserker, die wie belebte, flinke Statuen aus dem Regendunst geschossen kamen. Lange schon trieben sie sich am Rand des Schattenlands herum, ohne sich zu einem Vorstoß zur Burg des Todes entschließen zu können, um dort ihre Hölle oder Walhall zu finden oder die Flucht zu ergreifen. Aber zu einem Kampf waren sie jederzeit bereit. Nackt und mit blanken Klingen stürmten sie auf Fafhrd und den grauen Mausling ein.

Die beiden benötigten genau zehn Herzschlag klirrender Schwerthiebe lang, sie zu töten. Obgleich das Töten im Reich des Todes bestimmt ein Vergehen war, ähnlich wie Wilddieberei, dachte der Mausling. Fafhrd hatte am Oberarm eine leichte Hiebwunde abbekommen, die der Mausling ihm jetzt sorgfältig verband.

„Ph!“ stieß Fafhrd hervor. „Wohin hat die Nadel gedeutet? Ich bin jetzt völlig durcheinander gekommen.“

Sie fanden die Lache wieder, oder auch eine andere, und ließen die Nadel sich wieder darin drehen, ehe sie sich auf den Weg machten.

Zweimal versuchten sie, aus dem Schattenland zu gelangen, indem sie die Richtung – einmal nach Osten, dann nach Westen – wechselten. Aber vergebens. Wohin immer sie sich auch wandten, überall fanden sie nur weiches Gras und tiefhängende Wolken mit Nieselregen. Also versuchten sie es jetzt, im Vertrauen auf Natticks Nadel mit dem Süden.

Sie ernährten sich vom Fleisch schwarzer Lämmer aus den Herden schwarzer Schafe unterwegs. Sie brieten das zarte Fleisch, das sie mit dem Holz der gedrungenen schwarzen Bäume und Büsche schürten. Zu dem köstlichen Braten tranken sie Tauwasser.

In seiner niedrigen Burg schaute der Tod des öfteren grinsend auf seine Karte, wo die dunkle Zunge seines Gebiets sich auf magische Weise immer weiter südwestwärts ausstreckte und den jetzt stumpfen Funken einhüllte, der seine Opfer darstellte.

Er bemerkte, daß die ghulischen Reiter, die die beiden ursprünglich verfolgt hatten, jetzt an der Grenze seines Marschlands anhielten.

Doch nun verriet sein Lächeln eine leichte Spur von Besorgnis, und hin und wieder runzelte sich seine sonst faltenlose Stirn, während er sich anstrengte, seine geographische Magie aufrecht zu halten.

Die schwarze Zunge schob sich weiter die Karte hinunter, vorbei an Saheernmar und dem diebischen Ilthmar zum Sinkenden Land. Beide Städte an der Küste des Binnenmeers erschraken zu Tode über die dunkle

Invasion des feuchten Rasens und regenverhangenen Himmels, und sie dankten ihren entarteten Göttern, daß sie knapp an ihnen vorbeistrich.

Und nun überquerte die schwarze Zunge das Sinkende Land und bewegte sich in genau westlicher Richtung weiter. Die Falten schnitten inzwischen schon tief in die Stirn des Todes. Am Marschtor von Lankhmar warteten Sheelba vom Augenlosen Gesicht, und Ningauble mit den Sieben Augen, die beiden Zauberer, auf ihre Schüler Fafhrd und den Mausling.

„Was hast du angestellt?“ fragte Sheelba den Mausling streng.

„Und was hast *du* dir wieder eingebrockt?“ wollte Ningauble mit finsterer Miene von Fafhrd wissen.

Der Mausling und Fafhrd befanden sich immer noch im Schattenland, und die beiden Zauberer außerhalb. Die Grenze trennte sie voneinander. Deshalb war ihre Unterhaltung wie die von zwei Gesprächspartnerpaaren auf gegenüberliegenden Straßenseiten, auf deren einer es wie aus Kannen goß, während auf der anderen die Sonne schien, obgleich es nebenbei stark nach dem lankhmarschen Smog stank.

„Ich wollte nur Reetha suchen“, erwiderte der Mausling ausnahmsweise einmal ehrlich.

„Ich suche Kreeshkra“, antwortete Fafhrd kühn, „aber ein Trupp berittener Ghuls jagte uns zurück.“

Sechs von Ningaubles sieben Augen wanden sich unter der Kapuze heraus und betrachteten Fafhrd forschend. Der Zauberer sagte streng: „Kreeshkra wurde deiner unverbesserlichen Vagabundiererei müde. Sie ist für immer zu den Ghuls zurückgekehrt und hat Reetha mitgenommen. Ich würde dir raten, lieber Frix aufzusuchen.“ Frix war ein bemerkenswertes weibliches Wesen, das keine geringe Rolle in dem Abenteuer mit den Rattenmeuten gespielt hatte – das gleiche

Abenteuer, in dem die Ghul Kreeshkra verwickelt gewesen war.

„Ich hörte, daß Frix eine mutige Frau ist, von ihrem angenehmen Äußeren nicht zu sprechen", sagte Fafhrd friedfertig. „Aber wie soll ich zu ihr kommen? Wenn ich recht informiert bin, befindet sie sich doch in einer anderen Welt."

„Während ich *dir* rate, Hisvet aufzusuchen", sagte Sheelba mit dem Augenlosen Gesicht grimmig zum Hausling. Die tiefe Schwärze unter *seiner* Kapuze wurde noch schwärzer (vor Konzentration), wenn das überhaupt möglich war. Hisvet war eine weitere junge Frau, die an dem Rattenabenteuer beteiligt gewesen war, in dem Reetha eine führende Rolle gespielt hatte.

„Eine großartige Idee, Vater", versicherte ihm der Mausling, der kein Hehl daraus machte, daß er Hisvet allen anderen Mädchen vorzog, um so mehr, da er nie das Glück gehabt hatte, sich ihrer Gunst zu erfreuen, obgleich er manchmal nah daran gewesen war. „Aber sie steckt vermutlich in rattengroßer Gestalt irgendwo tief im Schoß der Erde. Wie soll ich da an sie herankommen? Wie, wie?"

Wären die Zauberer imstande gewesen zu lächeln, hätten sie es getan.

Jedenfalls sagte Sheelba lediglich: „Es ist etwas störend, euch beide so nebelumhangen zu sehen."

Ohne ein Wort zu wechseln, machten er und Ning sich daran, einen kleinen, aber sehr schwierigen Zauber zu wirken. Obgleich es sich anfangs verbissen dagegenstemmte, blieb dem Schattenland schließlich doch nichts übrig, als sich mit seinem Nieselregen ostwärts zurückzuziehen, so daß die beiden Helden plötzlich im gleichen Sonnenschein wie ihre Mentoren standen. Allerdings blieben zwei unsichtbare Fetzchen schwarzer Nebelschwaden zurück, die in den Mausling und Fafhrd eindrangen und sich für immer um ihre Herzen hüllten.

Fern im Osten gestattete der Tod sich einen kleinen, aber wilden Fluch, über den sich die hohen Götter sehr erregt hätten, wäre er ihnen zu Ohren gekommen. Seine Augen bohrten sich wie Dolche in die Karte und die immer kürzer werdende Zunge seines Reiches. Denn der Tod war zutiefst ergrimmt. Wieder einmal hatte er den kürzeren gezogen!

Ning und Sheel wirkten einen weiteren winzigen Zauber.

Ohne Vorwarnung schoß Fafhrd plötzlich in die Luft und wurde immer kleiner, bis er schließlich aus dem Blick entschwand.

Ohne sich vom Fleck zu bewegen, schrumpfte der Mausling, bis er weniger als einen Fuß groß und von einer Statur war, die zu Hisvet paßte. Er tauchte in das nächste Rattenloch.

Keines der beiden Geschehnisse ist so erstaunlich, wie es sich anhören mag, denn Nehwon ist nichts weiter als eine Luftblase, die aus dem Wasser der Unendlichkeit steigt.

Die beiden Helden verbrachten jedenfalls ein äußerst angenehmes Wochenende mit ihren Herzensdamen dieser Woche.

„Ich weiß nicht, weshalb ich so etwas tue", sagte Hisvet mit leicht lispelnder Stimme, und liebkoste den Mauser, der neben ihr auf dem seidenen Bettuch lag. „Es muß wohl sein, weil ich dich verabscheue."

„Eine angenehme, ja sogar zeitwerte Begegnung", gestand Frix Fafhrd in einer ähnlichen Situation. „Es ist eine meiner Schwächen, hin und wieder Gefallen an einem Spiel mit den niederen Tieren zu finden. Manche halten das einer Königin der Luft für unwürdig."

Als das Wochenende vorüber war, wurden Fafhrd

und der Mausling selbsttätig wieder nach Lankhmar zurückgezaubert und trafen sich ohne vorherige Verabredung in der Billigstraße, ganz in der Nähe von Nattick Hurtigfingers kleinem, schäbigem Haus. Der Mausling hatte wieder seine normale Größe.

„Du hast eine hübsche Sonnenbräune", sagte er zu seinem Kameraden.

„Raumbräune", verbesserte ihn Fafhrd. „Frix lebt in einem ausgesprochen fernen Land. Aber du, alter Freund, siehst blasser als üblich aus."

„Da sieht man wieder einmal, was drei Tage unter der Erde mit der Farbe eines Mannes anrichten. Komm, heben wir einen im *Silberaal.*"

Ningauble in seiner Höhle in der Nähe von Ilthmar und Sheelba in seiner beweglichen Behausung im Großen Salzmarsch lächelten, obgleich ihnen für eine solche Gesichtsbewegung die nötigen Voraussetzungen fehlten. Sie wußten, dadurch waren ihre beiden Schützlinge ihnen noch mehr verpflichtet.

DES KAISERS FÄCHER

von

L. Sprague de Camp

Im fünfzehnten Jahr seiner Regentschaft saß Tsotuga der Vierte, Kaiser von Kuromon, im Privatgemach des verbotenen Palasts in der Hauptstadt Shingun. Er spielte eine Partie Sachi mit seinem Freund, dem Bettler Reiro.

Die Figuren der einen Seite waren aus makellosen Smaragden geschnitzt, die auf der anderen aus Rubinen. Die Felder des Brettes bestanden aus Onyx und Gold. Die unzähligen Regale und Tischchen in diesem Zimmer quollen von kleinen Kunstgegenständen fast über. Zierliche Figürchen standen da aus Gold und Silber, aus Elfenbein und Ebenholz, aus Porzellan und Zinn, aus Jaspis und Jade, aus Chrysopras und Chalzedon.

Gewandet in eine seidene Robe, die mit silbernen Lilien und goldenen Lotosblumen bestickt war, saß Tsotuga auf einer Art Thron, einem Sessel aus vergoldetem Mahagoni, dessen Armlehnen wie diamantäugige Drachen geformt waren. Der wohlgenährte Herrscher war einem duftenden Bad entstiegen und hatte das erste Spiel gewonnen, trotzdem sah er nicht glücklich aus.

„Das Problem mit dir, Kumpel", sagte Reiro, der Bettler, „ist, daß du keinen wirklichen Gefahren ausgesetzt bist, also erfindest du welche."

Der Kaiser war nicht gekränkt über diesen Ton. Es war ja der Sinn dieses Privatgemachs, daß er der steifen Etikette entfliehen und sich mit seinem Freund wie ein normaler Sterblicher unterhalten konnte.

Es war auch kein Zufall, daß der Kaiser sich einen Bettler als Freund erwählt hatte. Als solcher würde er nie versuchen, gegen seinen hochgestellten Gönner zu intrigieren oder ihn zu ermorden, um den Thron an sich zu reißen.

Obwohl nun Tsotuga als durchaus fähiger Herrscher galt, besaß er keineswegs ein besonders liebenswertes Wesen. Er war sogar ein wenig träge, außer wenn er, wie es manchmal vorkam, seine Beherrschung verlor. Dann brachte er meist schreckliches Unheil über jene Unglücklichen, die sich gerade in seiner Nähe aufhielten. Nachdem sein Zorn jedoch wieder verraucht war, bereute er seine Ungerechtigkeit, und er gewährte sogar den Angehörigen seiner Opfer eine Leibrente. Er bemühte sich aufrichtig, gerecht zu sein, aber es fehlten ihm die nötige Selbstbeherrschung und Objektivität dazu.

Reiro kam mit dem Herrscher ganz gut zurecht. Er machte sich nichts aus Kunst, außer wenn er ein Stück ergattern und verkaufen konnte. Für eine gute Mahlzeit hörte er sich jedoch gern die endlosen Geschichten Tsotugas über seine Sammlung an. Seit er mit dem Kaiser befreundet war, hatte Reiro immerhin zwanzig Pfund zugenommen.

„Ach?" meinte Tsotuga. „Du hast leicht reden. Dir erscheint nicht jede Nacht der Geist deines Vaters und verheißt dir ein schreckliches Geschick."

Reiro zuckte gleichgültig die Schultern. „Du kanntest das Risiko, als du den alten Mann vergiftetest. Das gehört dazu, mein Freund. Für deinen Lohn jedoch würde ich gerne jede Menge Alpträume in Kauf nehmen. Wie sieht denn der alte Haryo in diesen Träumen aus?"

„Er ist der gleiche alte Tyrann wie zuvor. Du weißt, daß ich sein Leben verkürzen mußte, er hätte sonst das Reich völlig ruiniert. Behalte das aber für dich."

„Nichts von dem, was ich hier höre, wird andernorts bekannt. Wenn du allerdings glaubst, von Haryos Schicksal wisse man nichts, dann hältst du dich selbst zum Narren."

„Das kann ich mir schon denken. Allerdings argwöhnt man ja immer so dies und das, wenn ein Herrscher stirbt. Denn wie schon Dauhai zu dem furchtsamen Vogel sagte: ‚Jeder Zweig ist eine Schlange.'

„Trotzdem" fuhr der Kaiser fort, „löst das nicht mein Problem. Ich trage ein Kettenhemd unter meinem Gewand. Mein Bett schwimmt in einem Becken mit Quecksilber. Ich besuche meine Frauen nicht mehr, denn es könnte sich ja schließlich ein Verschwörer unbemerkt nähern und mich erdolchen, wenn ich in ihren Armen liege. Das kann ich dir sagen, die Kaiserin hält nicht viel von dieser Abstinenz. Doch wie dem auch sei, Haryo droht und prophezeit mir Schreckliches, und die Warnungen eines Geistes sollte man nicht in den Wind schlagen. Was ich brauche, ist eine unüberwindbare magische Verteidigung. Koxima, dieser Schwachkopf, kann nichts, als mit Rauch und Geisterbeschwörung Dämonen vertreiben, aber gegen den Stahl menschlicher Feinde vermag er nichts. Weißt du einen Rat, Lumpensack?"

Reiro kratzte sich. „Es gibt da so einen spitznäsigen, rundäugigen, dunkelhäutigen Hexer namens Ajendra, der kürzlich aus Mulvan nach Chingun kam. Seinen mageren Lebensunterhalt verdient er sich, indem er Liebestränke verkauft und in Trance verlorene Gegenstände wiederfindet. Er behauptet, eine magische Waffe von solcher Kraft zu besitzen, daß ihr nichts zu wiederstehen vermag."

„Was ist das für eine Waffe?"

„Er verrät es nicht."

„Warum ist er dann kein König, wenn er über solche Macht verfügt?"

„Wie könnte er sich denn zum Herrscher machen? Er ist zu alt, um eine Armee in die Schlacht zu führen. Außerdem sagt er, der heilige Orden, dem er angehört – alle mulvanischen Zauberer bezeichnen sich als heilige Männer, auch wenn sie die größten Schlitzohren sind –, verbietet den Gebrauch dieser Waffe, es sei denn zur Selbstverteidigung."

„Hat schon jemand diese Wunderwaffe gesehen?"

„Nein, Freund, aber man munkelt, daß Ajendra sie bereits benutzt hat."

„Ja? Und was ist dann geschehen?"

„Kennst du einen Spitzel der Stadtwache namens Nanka?"

Der Kaiser runzelte die Stirn. „Ging es da nicht um einen Mann, der verschwand? Man nimmt an, daß die schlechte Gesellschaft, in der er verkehrte, von seiner Nebenbeschäftigung erfuhr und ihn um die Ecke brachte."

Der Bettler kicherte. „Fast ins Schwarze getroffen, aber nicht ganz. Dieser Nanka war ein ganz übler Schurke, der seine Einkünfte als Informant durch Diebstähle und Erpressungen aufbesserte. Er schlich sich in Ajendras Hütte, einzig mit der Absicht, dem alten Mann den Hals umzudrehen und seine geheimnisvolle Waffe zu stehlen."

„Hm, und?"

„Nun, Nanka kam niemals wieder aus der Hütte heraus. Einer der Stadtwächter fand nur Ajendra vor, der im Schneidersitz dasaß und meditierte. Von dem ehemaligen Spitzel war jedoch nichts zu sehen. Und da Nanka sehr groß war und Ajendras Hütte sehr klein ist, konnte dort auch nirgendwo eine Leiche verborgen sein. Wie sagt man so schön? Wer anderen eine Grube gräbt, fällt selbst hinein."

„Hm", machte Tsotuga erneut. „Ich muß dieser Angelegenheit nachgehen. Genug Sachi für heute. Laß dir nun meine neueste Errungenschaft zeigen."

Reiro stöhnte innerlich und stellte sich auf eine längere Lektion über irgendeinen antiken Krimskrams ein. Der Gedanke an das köstliche Mahl tröstete ihn jedoch.

„Wo habe ich nur das kleine Figürchen?" fragte Tsotuga und kratzte sich mit seinem gefalteten Fächer die Stirn.

„Was ist denn, Kumpel?" fragte der Bettler.

„Eine Topasstatuette der Göttin Amarasupi aus der Jumbon-Dynastie. Da soll mich doch die Pest heimsuchen, ich werde von Tag zu Tag vergeßlicher!"

„Nur gut, daß dein Kopf fest angewachsen ist. Denn wie schon der Weise Ashuziri sagte: Die Hoffnung ist ein Scharlatan, der Verstand ein Stümper und das Gedächtnis ein Verräter."

„Ich erinnere mich genau", murmelte der Kaiser, „daß ich die Statuette an einen ganz bestimmten Platz geben wollte, damit ich mich genau daran erinnern sollte, aber nun weiß ich den bestimmten Platz nicht mehr."

„Der verbotene Palast hat gewiß zehntausend bestimmte Plätze", brummte Reiro. „Das ist der Vorteil, wenn man arm ist. Man hat so wenig Besitz, daß man niemals nach etwas suchen muß."

„Du bringst mich noch soweit, mit dir zu tauschen, einzig meine Pflicht verbietet es noch. Verflixt, verflixt, wo habe ich das dumme Ding nur hin? Ach, spielen wir lieber noch eine Partie Sachi. Diesmal nimmst du die roten und ich die grünen Figuren."

Zwei Tage später saß Tsotuga auf seinem Thron im Audienzsaal und trug die riesige Staatskrone. Dieser gefiederte und geflügelte Kopfschmuck, der mit Pfauenfedern und wertvollen Steinen überladen war, wog mehr als zehn Pfund. Er hatte sogar ein Geheimfach. Des Gewichts wegen trug Tsotuga die Krone nur, wenn es die Etikette unbedingt verlangte.

Der Zeremonienmeister ließ Ajendra herein. Der mulvanische Zauberer war ein großer, hagerer Mann, der gebückt an einem Stock ging. Mit Ausnahme seines langen weißen Bartes, der aus dem mahagonifarbenen Gesicht zu fließen schien, war alles an Ajendra braun – von seinem schmutzigen braunen, zwiebelförmigen Turban, zu seinem schmutzigen braunen Gewand, bis hinunter zu seinen schmutzigen braunen Barfüßen. Seine Einfarbigkeit bildete einen starken Kontrast zu dem Gold, Zinnoberrot, Grün, Blau und Purpur des Audienzsaals.

Mit spröder Stimme entbot Ajendra auf Kuromonisch, das er mit einem Akzent sprach, dem Herrscher den Gruß. „Dieser jämmerliche Wurm beugt sich vor Eurer unbeschreiblichen Majestät." Dann schickte er sich an, langsam und mühevoll auf die Knie zu gehen.

Der Kaiser winkte ihm aufzustehen und sagte: „Aus Achtung vor Eurem Alter wollen wir auf den Kniefall verzichten. Erzählt uns nun von Eurer unbezwingbaren Waffe."

„Eure Majestät ist zu gütig zu diesem unwürdigen Elenden. Seht, Eure Majestät."

Aus seinem zerrissenen Ärmel zog er einen bemalten Fächer. Wie auch die anderen Anwesenden hielt Ajendra seinen Blick von des Herrschers Gesicht abgewandt. Man fürchtete nämlich, daß der, welcher dem Kaiser direkt ins Antlitz sah, von dessen ungeheuerlicher Pracht geblendet werde.

„Dieser Fächer", fuhr Ajendra fort, „wurde von dem berühmten Zauberer Tsunjing für den König der Gowling Inseln gefertigt. Die Umstände zu beschreiben, die ihn in die Hände dieses Unwürdigen gelangen ließen, würde zuviel Zeit in Anspruch nehmen und Eure Majestät nur langweilen."

Zumindest, dachte Tsotuga, hat sich der Bursche mit den höflichen kuromonischen Umgangsformen vertraut gemacht. Viele Mulvanier benahmen sich nämlich dermaßen ungezwungen, daß es an Unverschämtheit grenzte. Er sagte: „Er sieht aus, wie jeder andere Fächer auch. Worin liegt seine besondere Kraft?"

„Oh, das ist ganz einfach erklärt, Erhabener. Man kann alles Lebende damit hinwegfächern."

„Oho!" rief der Herrscher aus. „Das also geschah mit dem vermißten Nanka."

Ajendra blickte unschuldig drein. „Dieses abscheuliche Reptil versteht Eure göttliche Majestät nicht."

„Macht Euch nichts daraus. Wohin verschwinden die Opfer?"

„Eine Theorie meiner Schule ist, daß sie in eine Ebene versetzt werden, die parallel zu dieser besteht. Eine andere meint, sie würden in ihre kleinsten Bestandteile zersprengt, behalten aber soviel von ihren persönlichen Eigenschaften, daß sie durch eine bestimmte Folge von Schlägen mit dem Fächer wieder zusammengefügt werden können."

„Ihr meint, Ihr könnt die Wirkung umkehren, und die Verschwundenen zurückholen?"

„Ja, Obermenschlicher. Man faltet den Fächer und klopft sich auf Handgelenk und Stirn nach einem bestimmten Kode, und schon ist der Verschwundene wieder da! Möchtet Ihr, daß ich es vorführe? Es besteht keine Gefahr für die Versuchsperson, denn dieser demütige Diener kann sie augenblicklich zurückholen."

„Sehr schön, guter Zauberer. Achtet aber darauf, daß Ihr dieses Ding nicht auf Uns richtet. Wen schlagt Ihr für diesen Versuch vor?"

Ajendra sah sich im Audienzsaal um. Bewegung kam in die Zeremonienmeister, Wachen und anderen Anwesenden. Glänzende Rüstungen blitzten auf und seidene Gewänder reflektierten das Licht, als ein jeder versuchte, sich möglichst unauffällig hinter einer Säule oder einem anderen Höfling zu verstecken. „Wer meldet sich freiwillig?" fragte der Herrscher. „Du, Dzakusan?"

Der Premierminister fiel auf die Knie. „Ewiges Leben dem Großen Herrscher! Diesem Haufen Schlechtigkeit ging es in letzter Zeit nicht gut. Außerdem muß er neun Kinder ernähren. Er bittet Eure Unübertrefflichkeit, ihn zu entschuldigen."

Ähnliche Fragen an andere seiner Beamten brachten nicht viel originellere Antworten. Nach einer Weile meinte Ajendra: „Wenn dieser Niedere Eurer Herrlichkeit einen Vorschlag machen dürfte, wäre es vielleicht besser, den Fächer zuerst an einem Tier auszuprobieren, an einem Hund oder einer Katze vielleicht."

„Aha!" sagte Tsotuga. „Das machen Wir! Wir wissen auch schon, welches Tier. Surakai, bring den verdammten Hund der Kaiserin her."

Der Bote entschwand auf seinen Rollschuhen. Bald kam er zurück. An der Leine zerrte er einen kleinen, wolligen weißen Hund, der unaufhörlich bellte.

„Fangt an", gebot der Herrscher.

„Diese unbedeutende Person hört und gehorcht", erwiderte Ajendra und öffnete den Fächer.

Das Kläffen des kleinen Hundes brach plötzlich ab, als die Kraft des Fächers ihn traf, und Surakai zog eine leere Leine hinter sich her. Die Höflinge wichen zurück und flüsterten miteinander.

„Bei den himmlischen Bürokraten!" rief der Herrscher. „Das ist äußerst beeindruckend. Holt das Tier jetzt zurück. Fürchtet Euch aber nicht vor einem Fehlschlag, diese kleine Bestie hat Uns zweimal gebissen, und das Reich wird nicht zerfallen, wenn es in dieser anderen Dimension verbleibt."

Ajendra zog aus seinem anderen Ärmel ein kleines Buch und blätterte darin. Dann hielt er sein Leseglas vor die Augen. „Hier ist es", sagte er. „Hund. Zwei links, drei rechts und eins geradeaus."

Er hielt den gefalteten Fächer in seiner Rechten und klopfte dreimal auf sein linkes Handgelenk. Dann nahm er ihn in die Linke und klopfte dreimal auf das rechte Handgelenk und einmal auf die Stirn. Sofort erschien der Hund wieder und floh jaulend unter den Thron.

„Sehr gut!" lobte der Kaiser. „Was ist das? Ein Kodebuch?"

„Ja, höchster Herr, es führt alle organischen Wesen auf, die auf den Fächer ansprechen."

„So, nun probieren wir ihn an einem Menschen aus, an einem entbehrlichen. Mishuho, haben wir einen verurteilten Verbrecher zur Hand?"

„Ewiges Leben, Euch, o Unvergleichlicher", sagte der Justizminister. „Wir haben einen Mörder, der morgen seinen Kopf verlieren soll. Befehlt Ihr, daß diese armselige Kreatur geholt wird?"

Der Mörder wurde gebracht. Ajendra fächerte ihn weg und ließ ihn wieder erscheinen. „Puh!" stöhnte der Mörder. „Dieser Nichtswürdige muß einem plötzlichen Schwindelgefühl erlegen sein."

„Wo befandest du dich, als du verschwunden warst?" fragte der Kaiser.

„Ich wußte nicht, daß ich verschwunden war, großer Herrscher" antwortete der Mörder. „Ich fühlte mich schwindelig und meinte, ich hätte für Sekunden das Bewußtsein verloren, und dann war ich wieder hier im verbotenen Palast."

„Nun, vor unseren Augen warst du jedenfalls verschwunden. In Anbetracht des Dienstes, den er dem Staat erwiesen hat, Mishuho, mildern Wir sein Urteil. Laß ihm fünfundzwanzig Peitschenhiebe geben, dann ist er frei. Und nun, Doktor Ajendra!"

„Ja, Beherrscher der Welt?"

„Sind dem Fächer Grenzen gesetzt? Muß die Quelle seiner Kraft gelegentlich erneuert werden?"

„Nein, Erhabener. Zumindest hat seine Kraft in den Jahrhunderten, seit Tsunjing ihn gemacht hat, nicht nachgelassen."

„Wirkt er auch bei einem großen Tier, sagen wir einem Pferd oder einem Elefanten?"

„Er kann noch viel mehr als das. Als Prinz Wangerr, der Enkel des Königs von Gowling, für den der Fächer gemacht wurde, auf der Insel Banshou einen Drachen traf, ließ er das Monstrum mit drei gewaltigen Streichen des Fächers verschwinden."

„Hm, stark genug, wie es scheint. Nun, guter Ajendra, wie wäre es, wenn Ihr den Spitzel Nanka, der vor einigen Tagen mit Eurer Kunst Bekanntschaft schloß, wieder zurückbringen würdet?"

Der Mulvanier riskierte einen kurzen Blick in das Gesicht des Herrschers. Einige Höflinge entrüsteten sich flüsternd über diesen Verstoß gegen die Etikette, aber Tsotuga schien es nicht wahrzunehmen. Der Zauberer gab sich schließlich damit zufrieden, daß der Kaiser offenbar wußte, wovon er sprach. Er blätterte durch sein Buch, bis er zu der Stelle kam, an der „Spitzel" aufgeführt war. Dann klopfte er mit dem Fächer viermal auf sein linkes Handgelenk und zweimal auf die Stirn.

Ein großer stämmiger Mann in den Lumpen eines Bettlers erschien. Nanka trug noch immer die Rollschuhe, auf denen er Ajendras Hütte betreten hatte. Nicht auf seine Wiederkehr vorbereitet, machten sich seine Füße selbständig. Er fiel schwer auf den Rücken und schlug mit dem Kopf auf das rot-weiß-schwarz karierte Mosaik des Marmorbodens. Der Kaiser lachte herzhaft, und die Höflinge erlaubten sich ein diskretes Schmunzeln.

Mit vor Wut und Überraschung rotem Kopf rappelte sich der Informant auf die Füße. Tsotuga sagte: „Mishuho, gib ihm zehn Hiebe für versuchten Diebstahl und mach ihn darauf aufmerksam, daß er das nächstemal seinen Kopf verlieren oder sogar in siedendem Öl enden wird. Bring ihn fort! Nun, teuerster Zauberer, was verlangt Ihr für dieses Gerät und sein Kodebuch?“

„Zehntausend goldene Drachen und eine Eskorte nach Hause in mein eigenes Land“, erwiderte Ajendra.

„Hm, ist das nicht viel für einen heiligen Asketen?“

„Nicht für sich selbst bittet dieses bescheidene Wesen“, versicherte ihm der Mulvanier. „Ich möchte in meinem Heimatdorf einen Tempel für meine Lieblingsgötter erbauen. Dort würde ich dann gern meine mir noch bleibenden Tage in Meditation über das Sein des Alls verbringen.“

„Ein lobenswertes Vorhaben“, meinte Tsotuga. So soll es geschehen. Chinguta, trag Sorge dafür, daß Doktor Ajendra eine zuverlässige Eskorte nach Mulvan bekommt. Sie sollen sich, dort angekommen, eine Bestätigung vom König der Könige geben lassen, daß Ajendra sicher sein Ziel erreicht hat und nicht unterwegs seines Goldes wegen ermordet wurde.“

„Dieser Verachtungswürdige hört und gehorcht“, sagte der Kriegsminister.

Die folgenden Monate verliefen ruhig am Hof. Der Kaiser zügelte sein Temperament. Keiner, der von dem Fächer wußte, wagte es, den Herrscher zu provozieren. Selbst die Kaiserin, die des gefühllosen Mißbrauchs ihres Hundes wegen verärgert war, hielt ihre scharfe Zunge im Zaum. Tsotuga erinnerte sich wieder an das Versteck der Statue von Amarasupi, und somit war er eine Zeitlang fast glücklich.

Doch wie schon der Philosoph Dauhai aus der Jumbon Dynasti sagte, ‚alles ist vergänglich'. Der Tag kam, da der Minister für Finanzen dem Herrscher in dessen Arbeitszimmer die Wirkungsweise einer großartigen Erfindung, des Papiergelds, zu erklären versuchte. Der Kaiser wollte wissen, warum er nicht einfach, um seinen Untertanen eine Freude zu machen, alle Steuern aufheben und die Staatsschulden mit den neu gedruckten Noten bezahlen konnte. Da er wieder einmal eines seiner heißgeliebten antiken Stücke verlegt hatte, war er äußerst gereizt.

„Aber Eure göttliche Majestät", jammerte Yaebu, „das versuchte man in Gowling schon vor einem halben Jahrhundert. Der Wert der Noten sank völlig auf Null. Keiner wollte mehr etwas verkaufen, und nachdem ja niemand mehr das wertlose Papier in Zahlung nahm, kehrten sie dort wieder zum Tauschhandel zurück."

„Wir sind der Ansicht, daß ein paar Köpfe auf Stangen gespießt, diesem Problem Abhilfe verschaffen würden."

„Das versuchte der König von Gowling ebenfalls", erwiderte Yaebu. „Es brachte nichts ein. Auf den Märkten gab es weiterhin keine Ware mehr, die Städter hungerten . . ."

Der Wortwechsel dauerte an, und der Herrscher, der nicht allzuviel von Wirtschaft verstand, langweilte sich immer mehr und wurde ungeduldig. Ohne auf diese Zeichen zu achten, bestand Yaebu auf seiner Meinung.

Schließlich ging der Kaiser in die Luft. „Sollen dir noch die Furunkel auf dem Hintern wachsen, Yaebu! Wir werden dir zeigen, was es heißt, deinem Herrscher mit Einwänden wie ‚Nein' und ‚Jedoch' und ‚Unmöglich' zu kommen. Verschwinde! Husch!"

Tsotuga zog seinen Fächer hervor, schnappte ihn auf und fächerte Yaebu etwas Luft zu. Der Minister verschwand.

Sich da, dachte Tsotuga, es funktioniert also wirklich! Nun muß ich Yaebu aber zurückholen, schließlich will ich diesen treuen Burschen nicht wirklich loswerden. Er reizte mich nur mit seinem ewigen Wenn und Aber und Unmöglich. So, wo habe ich das Kodebuch hingelegt? Ich wollte es an einem bestimmten Platz verstecken, damit ich es auch sicher wiederfinde. Aber welcher Platz war das?"

Als erstes kramte der Herrscher in den tiefen, bauschigen Ärmeln seines bestickten Seidengewands, die in Kuromon die Taschen ersetzten. Dort war es nicht.

Dann begab er sich von seinem Thron zur königlichen Kleiderkammer, wo an die hundert Gewänder hingen. Da waren seidene Roben für offizielle Anlässe, dünne für den Sommer und gefütterte für den Winter. Weiterhin gab es wollene Obergewänder für die kalte Jahreszeit, und baumwollene für die warme. Sie waren scharlach- und smaragdfarben, safrangelb und azurblau, kremfarben und violett und in allen anderen Farben, die die Bütten der Färber zu bieten hatten.

Tsotuga arbeitete sich durch die Kleiderkammer und tastete die Ärmel eines jeden Gewandes ab. Ein Kammerdiener erschien und sagte: „O göttlicher Alleinherrscher, gestattet diesem schmutzigen Bettler, Euch solch niedrige Arbeit abzunehmen."

„Nein, mein guter Shakatabi, Wir betrauen mit dieser Arbeit niemanden außer Uns selbst."

Eifrig ging Tsotuga seine gesamte Garderobe durch, bis er alle Gewänder durchsucht hatte. Dann kam der verbotene Palast an die Reihe. Der Kaiser zog die Schubladen aus den Tischen und Büfetts, schnüffelte in allen Winkeln und Ecken herum und verlangte lautstark nach den Schlüsseln zu Truhen und Schränken.

Nach einigen Stunden zwang die Erschöpfung den Kaiser aufzuhören. Er sank nieder in den Thronsessel im Privatgemach und schlug den Gong. Als der Raum gepfropft voll mit Dienern war, sagte er: „Wir, Tsotuga der Vierte, setzen eine Belohnung von hundert Drachen aus für denjenigen, der das verlorene Kodebuch des wunderbaren Fächers wiederfindet."

An diesem Tag hob im Palast ein großes Suchen und Hasten an. Scharenweise schlurften filzbeschuhte Diener durch den Palst, schnüffelten herum, steckten ihre Nasen in alles, öffneten, guckten und spähten. Als die Nacht hereinbrach, war das Kodebuch jedoch noch immer nicht gefunden.

Der Teufel soll mich holen, dachte Tsotuga. Der arme Yaebu ist verloren, wenn wir das verdammte Buch nicht finden. Ich muß mit diesem Fächer etwas vorsichtiger sein.

Als der Frühling ins Land zog, ging eine Weile wieder alles glatt im Palast. Doch der Tag kam, da Tsotuga mit seinem Kriegsminister Chingitu auf Rollschuhen über die Wege seines Palastgartens glitt. Tsotuga stellte verärgert Fragen über die Niederlage, die die kuromonische Armee kürzlich durch die Nomaden der Steppen hatte einstecken müssen. Die Entschuldigungen, mit denen Chingitu kam, das wußte Tsotuga, entsprachen nicht der Wahrheit. Und schon war es wieder aus mit des Kaisers Geduld. „Der wahre Grund", brüllte der Herrscher, „ist, daß dein Vetter, der korrupte Quartiermeistergeneral, Posten an seine nichtsnutzigen Verwandten vergeben hatte, so daß deine Soldaten schlecht bewaffnet waren. Und du weißt es! Nimm das!" Ein kleiner Wink mit dem Fächer, und aus war es mit Chingitu. Genauso verschwand kurz darauf der Premierminister Dzakusan.

Das Fehlen fähiger Minister machte sich schon bald bemerkbar. Tsotuga allein konnte nicht all die Hundertschaften von Beamten in den jetzt führungslosen Ministerien beaufsichtigen. Diese verstrickten sich immer mehr in Streitigkeiten und verschrieben sich dem süßen Leben. Vetternwirtschaft und Unterschlagungen waren an der Tagesordnung. Die Dinge liefen ohnehin nicht allzugut in Kuromon wegen der Inflation, die Tsotugas Papiergeldplan ins Land brachte. Die Regierung geriet bald völlig aus den Fugen.

„Ihr müßt Euch zusammennehmen, mein Gemahl", sagte die Kaiserin Nasako, „sonst teilen die Piraten des Gowling Archipels und die Steppenbanditen Kuromon wie eine Orange unter sich auf."

„Aber im Namen der siebenundfünfzig obersten Gottheiten, was soll ich denn tun?" schrie Tsotuga. „Verdammt nochmal, wenn ich dieses Kodebuch hätte, könnte ich Yaebu zurückholen, damit er diese Finanzmisere wieder in Ordnung bringt."

„Oh, vergeßt doch das Buch. Wenn ich Ihr wäre, würde ich den magischen Fächer verbrennen, ehe er mich in noch größere Schwierigkeiten brächte."

„Ihr seid ja verrückt, Weib! Niemals!"

Nasako seufzte. „Wie schon der Weise Zuiku sagte: ‚Wer einen Tiger zum Wächter seines Reichtums macht, braucht bald weder den Reichtum noch den

Wächter.' Stellt wenigstens einen neuen Premierminister ein, um Ordnung in dieses Chaos zu bringen."

„Ich bin schon die gesamte Liste aller möglichen Kandidaten durchgegangen, aber keiner hat eine weiße Weste. Einer stand in Verbindung mit der Partei, die sich vor neun Jahren verschwor, mich zu morden. Ein weiterer war der Korruption angeklagt, sie wurde ihm jedoch nie bewiesen. Ein dritter ist kränklich."

„Ist Zamben von Jompei auf Eurer Liste?"

„Ich habe noch nie von ihm gehört. Wer ist das?"

„Der Aufseher über die Straßen und Brücken in der Provinz der Jadeberge. Man sagt, er mache seine Sache dort sehr gut."

„Woher wißt Ihr das?" fuhr der Herrscher sie argwöhnisch an.

„Er ist ein Vetter meiner ersten Hofdame. Sie hatte ihn mir schon seit langem seiner Tugendhaftigkeit wegen empfohlen. Bisher habe ich sie immer abgewiesen, denn ich kenne die Abneigung meines Herrn dem Ehrgeiz meiner Zofen gegenüber, die sich für ihre Verwandten einsetzen. In Eurer augenblicklichen, beklagenswerten Lage kann es jedoch nicht schaden, sich den Jungen anzusehen."

„Nun gut, ich werde es tun."

So geschah es, daß Zamben von Jompei Premierminister wurde. Der ehemalige Aufseher über Straßen und Brücken war etwa zehn Jahre jünger als der Kaiser. Er sah gut aus, war fröhlich, charmant und ausgelassen und beim ganzen Hof beliebt, außer bei denen, die stets entschlossen waren, den augenblicklichen Favoriten zu hassen. Tsotuga meinte, Zamben sei ein wenig zu leichtherzig und brächte dem Labyrinth von Hofetiketten zu wenig Achtung entgegen. Zamben jedoch erwies sich als guter Verwalter, der den gesamten Regierungsablauf im Griff hatte und in Ordnung brachte.

Aber, wie man so schön sagt: ‚Des Dachdeckers Dach ist das undichteste im ganzen Dorf.' Was der Kaiser nicht wußte, war, daß Zamben und die Kaiserin ein heimliches Verhältnis hatten – und das schon vor Zambens Beförderung. Die Umstände hatten es den beiden allerdings nicht leicht gemacht, ihrer Leidenschaft zu frönen, nur selten bot sich ihnen die Gelegenheit in einem von Nasakos Sommerpavillons in den Bergen.

Im verbotenen Palast war es noch schwieriger. Hier gab es genug Gesinde, das nur allzugern Heimlichkeiten aufdeckte und an den richtigen Mann brachte. Das Liebespaar mußte also mit Schläue vorgehen. Nasako gab bekannt, daß sie in ihrem Sommerhaus absolut alleingelassen zu werden wünschte, weil sie sich mit der Absicht trug, ein Gedicht zu schreiben. Der vielseitig begabte Zamben verfaßte das Gedicht, dann versteckte er sich im Sommerhaus, noch ehe die Kaiserin dort eintraf.

„Das war des langen Wartens wert", sagte Nasako, als sie sich ankleidete. „Tsotuga, dieser fette Narr, hat mich seit einem ganzen Jahr nicht mehr berührt, und eine vollblütige Frau wie ich bedarf schließlich der Zärtlichkeiten. Er besucht nicht einmal mehr seine hübschen Konkubinen, dabei ist er noch keine fünfzig."

„Ist er frühzeitg senil?"

„Nein, er fürchtet sich vor Meuchelmördern. Eine Zeitlang versuchte er es in einer sitzenden Stellung, so daß er nach möglichen Angreifern Ausschau halten konnte. Dann bestand er darauf, dabei seine Rüstung anzubehalten, doch das erwies sich als zu unangenehm und stellte niemanden mehr zufrieden, so gab er es ganz auf."

„Nun, der Gedanke an einen Dolch im Rücken läßt

nicht nur den Mut eines Mannes erschlaffen. Falls – was die Götter verhüten mögen – dem göttlichen Herrscher ein Unfall zustößt . . .“

„Wie denn?“ fragte Nasako. „Kein Meuchelmörder wagt sich in seine Nähe, solange er den Fächer besitzt.“

„Wo bewahrt er ihn des Nachts auf?“

„Unter seinem Kissen, und er hält ihn im Schlaf fest umklammert. Es bedürfte schon eines geflügelten Dämons, ihm das Ding wegzunehmen, schließlich schwimmt sein Bett ja in einem Becken voll Quecksilber.“

„Ein wohlgezielter Schuß mit der Armbrust, außerhalb des Fächers Reichweite abgefeuert, könnte vielleicht . . .“

„Nein, er ist zu gut bewacht, als daß ein Schütze in seine Nähe käme, außerdem schläft er sogar in seiner Rüstung!“

„Nun, wir werden sehen“, meinte Zamben. „Meine Geliebte, wollen wir inzwischen noch einmal . . .“

„Was für ein Mann du doch bist!“ rief Nasako und begann, die eben angezogenen Kleider wieder von sich zu werfen.

Während der nächsten zwei Monate konnte man beobachten, daß Zamben, der nicht damit zufrieden war, der zweitmächtigste Mann des Reiches zu sein, sich auch beim Herrscher einschmeichelte. Er brachte es sogar fertig, Reiro aus seiner Stellung als des Kaisers Busenfreund zu vertreiben. Zamben wurde auch Experte in Sachen Kunstgeschichte, um Tsotugas heißgeliebtes Spielzeug besser bewundern zu können.

Für die Günstlingshasser am Hof war die Freundschaft des Herrschers mit einem Minister ein schändlicher Bruch mit allem bisher Dagewesenem. Das brachte nicht nur das mystische Gleichgewicht zwischen den fünf Elementen in Aufruhr, sondern mochte Zamben auf die Idee bringen, sich als Usurpator zu versuchen, was ihm eben durch diese Freundschaft nicht allzu schwer fallen würde. Aber keiner wagte, dieses Thema vor dem leicht aufbrausenden Tsotuga zur Sprache zu bringen. Sie sagten sich, daß es ja schließlich die Aufgabe der Kaiserin sei, ihn zu warnen. „Wenn sie es nicht fertigbringt, was hätten wir da für eine Chance?“ war ihre Meinung.

Mit seinem einnehmenden Wesen führte Zamben tagsüber die Regierungsgeschäfte, und des Abends setzte er sich freundschaftlich mit dem Kaiser zusammen.

Schließlich ergab sich für Zamben die Gelegenheit. Der Herrscher spielte bei einer Partie Sachi mit seinem Fächer. Zamben ließ eine Figur – einen Elefanten – fallen, so daß sie unter den Tisch rollte.

„Ich hebe sie auf“, sagte Tsotuga. „Sie ist auf meiner Seite.“

Als er sich bückte, um nach der Figur zu tasten, entglitt der Fächer seinen Fingern. Den Elefanten in der Linken, setzte er sich wieder auf und sah, daß Zamben ihm den Fächer entgegenstreckte. Wütend entriß er ihn ihm. Dann wurde er sich seiner Unhöflichkeit bewußt. „Entschuldige“, brummte er. „Ich gebe das Ding nicht gern aus der Hand. Es war dumm von mir, es nicht zur Seite zu legen, ehe ich nach deinem Elefanten suchte. Du bist noch immer am Zug.“

Einige Tage später fragte die Kaiserin in ihrem Sommerhaus: „Hast du ihn?“

„Ja“, erwiderte Zamben. „Es war nicht schwer, ihm den falschen zuzuspielen.“

„Worauf wartest du dann noch? Fächere den alten Narren weg!“

„Geduld, Geduld, meine Süße, ich muß mich erst der

Loyalität meiner Anhänger vergewissern. Man sagt, wer einen Kürbis mit einem einzigen Biß verschlingt, wird die Belohnung für seine Gefräßigkeit ernten. Außerdem habe ich Bedenken."

„Ihr Götter! Bist du nur ein Frauenheld, der im Bett stark ist, aber keine Kraft im Schwertarm hat?"

„Nein, aber ein vorsichtiger Mann, der die Götter nicht herausfordern möchte, und sich keine größeren Bissen nimmt, als er kauen kann. Doch wie ich deinen erhabenen Gemahl kenne, wird er mich sicher bald dazu zwingen, mich zu verteidigen."

Eines Abends gelang es Zamben, der beim Sachi nie großes Geschick bewiesen hatte, den Kaiser in fünf Spielen hintereinander zu besiegen.

„Sei verflucht!", brüllte Tsotuga, als er seinen fünften König verlor. „Hast du Unterricht genommen? Oder warst du etwa die ganze Zeit geschickter, als es den Anschein hatte?"

Zamben zuckte die Schultern und sagte: „Die göttlichen Bürokraten müssen meine Züge geleitet haben."

„Du, du . ." Tsotuga würgte vor Wut. „Wir werden dich lehren, was es heißt, den Herrscher zu verspotten! Hebe dich hinweg aus dieser Welt!"

Der Kaiser zog seinen Fächer aus der Tasche und fächerte, aber Zamben verschwand nicht. Tsotuga fächerte noch ein bißchen. „Verflixt, hat das Ding seine Kraft verloren?" brummte er. „Oder ist es vielleicht nicht der richtige?"

Sein Satz brach ab, als Zamben, der den echten magischen Fächer geöffnet hatte, Tsotuga aus dem Dasein fächerte. Später erklärte er der Kaiserin: „Ich wußte, daß er einen Austausch vermuten würde, sobald er herausfand, daß sein Fächer nicht funktionierte. Mir blieb gar nichts anderes übrig, als den echten zu benutzen."

„Was sagen wir nun bei Hof und vor den Leuten?"

„Ich habe mir da etwas ausgedacht. Wir werden erzählen, daß er sich in der Sommerhitze gedankenverloren selbst weggefächert hat."

„Wird man es glauben?"

„Ich weiß es nicht, aber kann man etwas Gegenteiliges beweisen?" Wie dem auch sei, wenn eine angemessene Trauerzeit verstrichen ist, erwarte ich von dir, daß du deinen Teil unserer Abmachung erfüllst."

„Nur zu gern, mein Geliebter."

So geschah es, daß die Kaiserinwitwe Zamben von Jompei ehelichte, nachdem dieser, auf ihren ausdrücklichen Wunsch hin, seine früheren Frauen aufgab. Zamben erhielt den Ehrentitel „Kaiser", aber nicht die volle Macht dieses Amtes. Er war praktisch der Gemahl der verwitweten Herrscherin und Beschützer des Erben, also dessen Regent.

Darüber, was geschehen mochte, wenn der jetzt vierzehnjährige Wakumba volljährig wurde, machte sich Zamben keine Sorgen. Er war sicher, daß er, was immer auch geschah, den jungen Herrscher überreden konnte, ihm seine Macht und seine Privilegien zu belassen.

Den Plan, für die Ermordung des jungen Prinzen zu sorgen, gab er schnell auf. Er befürchtete, Nasako würde ihn dafür umbringen, immerhin hatte sie weitaus mehr Anhänger als er. Es fiel ihm ohnehin nicht leicht, mit ihr ein gutes Verhältnis beizubehalten. Sie war enttäuscht, als sie herausfand, daß ihr neuer Ehemann nicht der ewig nach ihr lechzende Satyr war, für den sie ihn gehalten hatte, sondern lediglich ein ehrgeiziger Politiker, der ständig mit politischen Manövern, administrativen Details und religiösen Ritualen beschäftigt war, so daß er nur wenig Zeit und Kraft für die Ansprüche der Herrscherin übrig hatte. Als sie sich beklagte, sprach er über sein neues, wichtiges Projekt."

„Was ist das?" wollte sie wissen.

„Ich möchte nicht noch mehr Zeit damit verschwenden", antwortete er, „das alte Kodebuch für den Fächer zu suchen. Statt dessen werde ich durch Versuche den Kode neu finden."

„Wie?"

„Ich werde mit dem Fächer die verschiedensten Kombinationen von Schlägen ausprobieren und mir notieren, was jedes Mal erscheint. Sicher sind, seit es den Fächer gibt, Hunderte von Wesen hinweggefächert worden."

Am nächsten Tag saß Zamben, flankiert von sechs schwerbewaffneten Wachen im Audienzsaal. Außer ihnen waren noch zwei Schreiber anwesend. Zamben schlug mit dem Fächer einmal auf sein linkes Handgelenk. Vor ihm erschien ein Bettler.

Der Bettler schrie vor Schrecken auf und fiel in Ohnmacht. Als man ihn wieder zu sich brachte, fand man heraus, daß er vor über einem Jahrhundert in einem Fischerdorf weggefächert worden war.

Zamben befahl: „Notiert: ein Schlag auf das linke Handgelenk – Bettler. Gebt ihm einen goldenen Drachen und bringt ihn hinaus."

Zwei Schläge auf das linke Hangelenk brachten einen Schweinehirten hervor, und so wurde es auch aufgeschrieben. Im Lauf des Tages wurden Personen aller Art herbeigeklopft. Einmal erschien sogar ein Leopard. Als sich jedoch zwei Wächter auf ihn stürzen wollten, zog er es vor, durch das Fenster zu verschwinden. Einige Schlagkombinationen blieben ohne Erfolg, entweder standen sie nicht in Verbindung mit irgendwelchen Lebewesen, oder es wurden noch keine Wesen dieser Art hinweggefächert.

„Ich komme gut voran“, sagte Zamben des Nachts zur Herrscherin.

„Was machst du, wenn deine Experimente Tsotuga zurückbringen?“ fragte sie.

„Bei den siebenundfünfzig Hauptgöttern! Daran habe ich noch gar nicht gedacht!

„Gib acht, ich bin sicher, daß der Fächer eines Tages Unheil über den bringt, der ihn benutzt.“

Am nächsten Tag setzte man die Experimente fort. und die Listen der Schreiber wurden länger. Je drei Schläge auf beide Handgelenke und die Stirn brachten den völlig verstörten Finanzminister Yaebu wieder zum Vorschein.

Nach Yaebu kamen ein Esel und ein Weber. Als man den Esel eingefangen und hinausgeführt und den Weber beruhigt und mit einer Belohnung weggeschickt hatte, schlug Zamben sich je dreimal auf beide Handgelenke und viermal auf die Stirn.

Da war ein Rauschen in der Luft, und ein Drache stand im Audienzsaal, den er nahezu ganz ausfüllte. Zamben, dessen Kinn auf die Brust gesunken war, richtete sich auf. Der Drache brüllte und brüllte.

Zamben erinnerte sich an die Geschichte, die er über den Fächer gehört hatte. Vor einigen Jahrhunderten hatte der Fächer den Prinzen der Gowling Inseln auf die Insel Banshou vor einem Drachen gerettet. Das mußte derselbe sein ...

Zamben wollte den Fächer öffnen. Aber Erstaunen und Furcht hielten ihn ein paar Herzschläge zu lange in Bann. Der riesige, schuppengepanzerte Schädel stieß herab, und der Rachen klappte zu.

Der einzige, der noch im Saal geblieben war, war einer der Schreiber. Er hatte sich hinter dem Thron verkrochen, und nur er hörte Zambens Todesschrei.

Nasako und Yaebu wurden Koregenten. Da nun die sinnliche, doppelt verwitwete Herrscherin keinen Mann mehr hatte, nahm sie sich einen gutaussehenden Knecht aus den kaiserlichen Stallungen, der halb so alt war wie sie, aber doch gut genug gerüstet, sie zufriedenzustellen.

Da es nun, zumindest dem Namen nach, keinen Kaiser mehr gab, mußte Prinz Wakumba sofort gekrönt werden.

Nach der Zeremonie, die den ganzen Tag angedauert hatte, nahm der Junge erleichtert aufatmend die geflügelte und gefiederte Staatskrone ab. „Das Ding ist ja unheimlich schwer", klagte er und tastete daran herum.

Yaebu stand besorgt dabei und flüsterte: „Hab acht, Junge, daß du den heiligen Kopfputz nicht beschädigst."

Plötzlich machte es *Zing*, und im Innern der Krone sprang eine Metallklappe auf.

„Hier ist ein Geheimfach!" stellte Wakumba fest. „Und darin befindet sich ein – ja, was ist das denn? – ein Buch! Bei den siebenundfünfzig Göttern, das muß das Kodebuch sein, das Vater so lange gesucht hat!"

Es steht jedoch nirgends geschrieben, ob der Hofzauberer von Kuromon dieser Aufgabe gerecht wurde. Mir ist nur bekannt, daß das Kodebuch immer noch friedlich im kuromonischen Archiv in Chingun liegt, und daß Tsotuga und Dzakusan und all die anderen, die je hinweggefächert wurden, auch weiterhin auf ihre Rückkehr warten.

DAS FALKENMATT

von

Pat McIntosh

„Arme Thula“, sagte Aneka von hinter dem Ledervorhang ihrer pferdegetragenen Sänfte. „Sind deine Kopfschmerzen schon ein wenig besser?“

Das gab den Ausschlag, schließlich war zweifellos sie an diesen Kopfschmerzen schuld. Ich murmelte eine Antwort und zügelte meinen Hengst, damit die große Sänfte durch den Torbogen in den Hof der Gastwirtschaft gebracht werden konnte. Ich nickte Anekas Vetter zu, der auf seinem dürren Schecken saß und die Packtiertreiber herumkommandierte. Er beachtete mich nicht.

„Komm steig aus“, sagte ich zu Aneka. „Ich werde mein Pferd anbinden.“

„Gelen glaubt, daß es in einer halben Stunde zu essen gibt“, entgegnete sie und sprang behende aus der Sänfte, daß ihre unzähligen, reichbestickten Petticoats aufwirbelten. Ich nickte und führte Dester, meinen mächtigen Grauen, in den Stall. Ich nahm ihm den Sattel ab, striegelte ihn mit gleichmäßigen, beruhigenden Strichen, und dachte über die Sache nach.

Wenn Aneka etwas in meinen Wein gegeben hatte, mußte sie damit einen Zweck verfolgt haben. Ich konnte mir zwei Gründe dafür vorstellen, doch einen hielt ich für unwahrscheinlich. Ich hatte mit gleichaltrigen und jüngeren Mädchen zusammengelebt, seit ich sieben war. Wenn Aneka es nur getan hatte, um mir einen harmlosen Streich zu spielen, hätte gerade sie sich, eher noch als alle anderen durch verstohlenes Grinsen und Kichern verraten. Aber der andere Grund war einfach nicht vorstellbar. Die letzten drei Nächte war die Tür verschlossen gewesen, der Schlüssel sicher unter meinem Kopfkissen verwahrt, und das offene Fenster lag zumindest vierundzwanzig Fuß über dem Boden. Es gab auch nichts, woran man ein Seil hätte befestigen können. Meister Gelen hatte diese Vorsichtsmaßnahmen, wie ich glaube, nicht aus Mißtrauen getroffen, sondern ganz einfach, um wertvolle Ware zu schützen. Und als ich am Morgen aufwachte, schien Aneka noch fest zu schlafen. Sie lag auf dem Bauch im Bett, hatte die Decken zurückgestrampelt, und ihr Nachthemd war ihr bis unter die Achseln hochgerutscht. Das sah nicht danach aus, als hätte sie sich den Schlüssel unter meinem Kopfkissen hervorgeholt und ein zärtliches Lebewohl an der Tür hinter sich.

Und doch war ich an den vergangenen drei Morgen mit einem Geschmack auf der Zunge aufgewacht, als hätte ich den Sand eines ganzen Vogelkäfigs im Mund und eine Axt im Schädel.

„Vielleicht kann er fliegen?“ sagte ich zu Dester. Er schnaubte und stupste mich ungeduldig mit den feuchten Nüstern. Ich striegelte ihn weiter. Ehe ich fertig war, hatte ich zweierlei beschlossen: Erstens würde Aneka heute abend meinen Wein trinken und ich ihren; und zweitens beabsichtigte ich, die ganze Nacht, mit dem Schwert unter der Decke, wach zu bleiben.

Aneka lachte erfreut, als sie das Schwert sah, das ich mit dem Kinn auf den beiden Satteltaschen festhielt.

„Was hast du vor?“ fragte sie. „Willst du üben? Hat es einen Namen?“

Ich stellte die Satteltaschen ab und setzte mich. „Es, oder vielmehr sie, heißt Fenala“, antwortete ich kurz. Ich hatte vergessen, bis ich sie zog, daß sie nicht meine eigene, vertraute Klinge aus blauem Southronstahl war, die auf Fenalas Busen in der Gruft im Dorftempel, weit jenseits von Rhawn Dys, lag. „Sie muß geölt werden“, erklärte ich. „Zum Üben ist hier kein Platz.“

„Zeig sie mir“, bat Aneka und kniete sich in drei Petticoats und ohne Schuhe neben mich. „Ah, da ist etwas eingraviert! Was heißt es?“

Ich drehte die Klinge auf meinen Knien um und entzifferte die uralten Lettern nur mit größter Mühe.

„*Niachan len dova*“, sagte ich schließlich. „Freundschaft ist zweischneidig.“

„Freundschaft ist zweischneidig“, echote sie. „Was bedeutet das?“

„Ich weiß es nicht“, antwortete ich. „Es ist ein sehr altes Schwert. Aber zieh dich jetzt lieber an, das Essen dürfte jeden Augenblick aufgetragen werden.“

Mit einem spitzen Ausruf, der meine Kopfschmerzen zurückbrachte, sprang sie auf und griff nach einem weiteren Petticoat. Ich legte mein Schwert zur Seite und schlüpfte aus meinen von der Reise staubigen und verschwitzten Sachen. Man hatte uns warmes Waschwasser aufs Zimmer gebracht, aber natürlich hatte Aneka, wie üblich, das meiste davon für sich verbraucht.

„Kannst du lesen?“ fragte sie, als sie gerade den letzten Petticoat über den Kopf zog.

„Natürlich kann ich lesen“, erwiderte ich. „Und schreiben. Das bringen sie uns im Orden bei.“

„Ja, natürlich, der Orden“, murmelte sie. „Mama sagt, Lesen sei unweiblich.“

„Du erstaunst mich“, sagte ich trocken. Sie schlüpfte in ihr braun-goldenes Kleid. Es paßte im Ton gut zu ihrem Haar, das auf Rhawn Dyssche Sitte geflochten über den Rücken hing. Ich weiß nicht, zum wievielten Mal ich dachte, wie schade es war, daß sie nach Dervir ging, wo die Frauen sich in enge Mieder zwängten, sich puderten und jede danach trachtete, schöner und kostbarer als ihre Nachbarin gekleidet zu sein.

„Ich nehme an, mein Gemahl sähe es nicht gern, wenn ich lesen könnte“, sagte sie selbstgefällig und strich ihr Gewand glatt. Ich griff nach einem frischen Hemd. „Möchtest du denn nicht verheiratet sein, Thula? Nun ja, dafür dürfte es jetzt bereits ein wenig zu spät sein, du bist ja schon einundzwanzig!“ So wie sie es sagte, klang es, als würde ich in Kürze fünfzig.

„Ich kenne ein Mädchen, das mit dreißig heiratete“, entgegnete ich ein bißchen verärgert. Anekas Augen wurden rund.

„Meine Schwester war jünger als ich, als sie heiratete. Mama sagt, ein Mann soll bei der Hochzeit doppelt so alt wie seine Braut sein. Heiratete sie einen Mann von sechzig?“

„Das bezweifle ich“, erwiderte ich gereizt, und knöpfte mein Wams zu.

„Mein zukünftiger Gemahl ist zweiunddreißig“, murmelte sie und bürstete ihr Haar, nachdem sie den Zopf gelöst hatte. „Gelen sagt, er sieht sehr gut aus, aber wenn es nach mir ginge, sollte er ein wenig jünger sein, so vielleicht siebenundzwanzig.“

Etwas in ihrer Stimme ließ mich unwillkürlich fragen: „Willst du ihn denn überhaupt heiraten?“

Ich sah im Spiegel, daß ihre Lippen sich bewegten, aber was sie sagte, wurde durch das laute Klopfen an der Tür übertönt.

„Meine Damen“, rief ihr Vetter. „Seid ihr soweit?“

„Gleich“, rief Aneka zurück und flocht ihr Haar mit geschickten, flinken Bewegungen. Eilig griff sie nach einem Samtband, wickelte es um das Zopfende und band es zu einer Schleife. Ich steckte meinen Dolch in seine Scheide an meinem Gürtel und öffnete die Tür.

„Wir sind bereit, mein guter Herr“, sagte ich. Er verneigte sich und vermied es, meine Hosenbeine anzusehen. Aneka reichte er den Arm. Mit einem Knicks nahm sie ihn. Ich folgte ihnen die Treppe hinunter und fragte mich, ob ich tatsächlich richtig gesehen hatte. Im Spiegel hatte Anekas Antwort auf meine Frage sehr nach einem Nein ausgesehen.

Nach dem Essen spielten wir eine Partie Belagerung. Das ist ein Brettspiel, bei dem einer der Spieler eine Ekke des Brettes gegen den anderen verteidigen muß. Die Anzahl der Figuren hängt von der Geschicklichkeit des Spielers ab. In den Ostlanden ist es bekannter als bei uns im Westen. Doch dient es häufig als Ritual für Tempelopfer. Ich schlug Aneka, und nach einem sehr langen Spiel auch ihren Vetter. Als er die Figuren abräumte, sagte er leise: „Ihr solltet noch eine Partie mit Aneka spielen, Fräulein. Ich bin sicher, daß sie diesmal gewinnen wird."

„O wirklich?" sagte ich.

„Ich bin auch überzeugt, daß ich diesmal nicht verlieren werde!" rief Aneka, die es unerwartet doch gehört hatte. „Komm, Thula. Es sind noch Stunden, bis der Mond aufgeht. Du hast unsere letzte Partie gewonnen, also verlierst du einen Mann, und ich bin als Verteidiger an der Reihe."

Widerstrebend stellte ich die Figuren auf. Ich war müde, und der Vetter schien zu erwarten, daß ich Aneka das Spiel gewinnen ließ. Das würde nicht einfach sein. Sie war eine schlechte Spielerin, aber gescheit genug, daß es ihr ohne Zweifel auffalen würde, wenn ich absichtlich einen dummen Zug machte. Und da dieses Spiel dem Mond geheiligt ist, war es wohl kaum schicklich, es einer verzogenen Kaufmannstochter wegen nicht mit dem nötigen Ernst zu spielen. Ich gewann. Aneka ärgerte sich und ließ es sich auch anmerken.

„Wir spielen noch eine Partie!“ bestand sie. „Und ich werde diesmal ganz bestimmt gewinnen!“

„Es ist Zeit, ins Bett zu gehen“, mahnte ich. „Ich habe drei Partien hintereinander gespielt. Verschieben wir es auf morgen abend, Aneka.“

„Nein!“ protestierte sie. „Denn morgen ...“ Sie hielt abrupt inne und sagte etwas anderes, als sie zuvor auf der Zunge gehabt hatte. „Morgen wirst du wieder ausgeruht sein, während du jetzt müde und leichter zu schlagen bist.“

Ich war wirklich müde, außerdem waren die Kopfschmerzen zurückgekehrt. Aber ich gab nach. Es wurde ein langes Spiel, bis Aneka schließlich sagte:

„In drei Zügen habe ich dich, Thula!“

„Wirklich?“ fragte ich überrascht. Sie jauchzte vor Freude.

„Ja, schau her! Ich ziehe meinen Hauptmann so, dann diesen Fußsoldaten so. Dann kannst du sie nicht mehr aufhalten, und ich bin in der Burg.“

Meister Gelen kam herbei und sah auf das Brett. „Das stimmt, Aneka. Das ist das Falkenmatt, genau wie ich es dich gelehrt habe.“

Sie staunte selbst. „Ja, tatsächlich! Und sagtest du nicht, daß nur ein geschickter Spieler sich dessen richtig bedienen könnte?“

„Jetzt hast du deine Revanche bekommen, und ich gebe auch zu, daß du es sehr klug angestellt hast“, sagte nun ich, „wie wäre es also, wenn wir uns endlich in die Federn verkriechen würden?“

Eine Kanne Wein und zwei Gläser standen auf dem Kästchen zwischen unseren beiden Betten. Um die Dinge zu vereinfachen, ging ich ans Fenster und lehnte mich hinaus. Der Hof lag gut vierundzwanzig Fuß tief unter uns, und höchstens eine Fliege konnte die glatte

Wand hochklettern. Ich drehte mich um und sah, daß Aneka am Bettrand saß und vom Wein nippte. Ich setzte mich ihr gegenüber und sagte:

„Dein Haar hat aber eine komische Farbe. Es wird doch nicht schon ergrauen?“

„Ergrauen?“ rief sie erschrocken. „Nein! Unmöglich!“ Sie stellte ihr Glas so heftig ab, daß sie etwas Wein vergoß, dann rannte sie zur nächsten Truhe und fummelte mit zitternden Händen nach einem Spiegel. Ich stellte schnell mein Glas in den Rand, den ihres gemacht hatte, und nahm ihres in die Hand. Sie holte den Spiegel heraus und benutzte ihn mit dem an der Waschkommode, um ihren Hinterkopf sehen zu können.

„Vielleicht ist es nur das Licht“, sagte ich beschwichtigend. „Oder der Staub. „Haar von der Farbe des deinen wirkt im Kerzenlicht manchmal komisch.“

„Jetzt jedenfalls sieht es normals aus“, entgegnete sie erleichtert. „Du hattest mir ja einen ganz schönen Schrecken eingejagt!“

In zehn Minuten schlief sie bereits, nur halb ausgezogen, tief und fest. Mit Mühe befreite ich sie ganz aus ihren Petticoats. Nachdem ich sie zugedeckt hatte, ging ich erneut ans Fenster. Ein plötzlicher Einfall ließ mich mein blankes Schwert quer in die Öffnung klemmen, mit der Schneide nach außen. Dann nahm ich den Dolch in die Hand und setzte mich mit überkreuzten Beinen auf mein Bett, um auf den Morgen zu warten. Oder auf den Aufgang des Mondes?

Und was sollte dann geschehen? Ich gewann allmählich das Gefühl, daß ich mich töricht benahm. Aber ich tröstete mich mit dem Gedanken, daß niemand es wissen würde, außer vielleicht Aneka. Und während ich so saß, ließ ich mir die ganze Sache durch den Kopf gehen. Ich hatte diese Weise, das Alte Gebirge zu überqueren, für großartig gehalten, nicht nur war es sicherer, in

Gesellschaft zu reisen, ich wurde dafür auch noch bezahlt. Es gibt natürlich Kampfmädchen, die gern allein sind, aber ich gehörte nicht zu ihnen. Und Fenala war noch zu kurz tot, als daß nur meine eigene Gesellschaft sehr gut für mich gewesen wäre. Wir waren nie ein Liebespaar gewesen, wie so manches andere Gespann, aber auch so waren wir unzertrennlich gewesen, seit ich acht und sie neun war, und die Lücke, die ihr Tod hinterlassen hatte . . .

Ich zwang mich, an etwas anderes zu denken, weil ich wußte, daß diese Überlegungen nur zu Tränen führen würden, jetzt aber war keine Zeit für Tränen. Ich hatte ihrer genug vergossen, diese vergangenen Wochen im Tempel von Rhawn Dys, während ich auf ein anderes Paar wartete, oder auch auf ein einsames Mädchen wie ich, das Gesellschaft suchte. Dann ließ die Mutter Oberin mich rufen und machte mich mit folgender Mission vertraut: Enys ma Doarrh ma Enys brauchte eine Anstandsdame und gleichzeitig einen Leibwächter für seine Tochter. Ich sollte zehn Goldstücke bekommen, und der Orden ebenfalls zehn, wenn sie ihren zukünftigen Gatten so erreichte, wie sie ihr Vaterhaus verließ. Ich hatte es für eine einfache Aufgabe gehalten, als ich annahm.

Durch das Fenster konnte ich die Sterne sehen. Sie zogen gemächlich an meinem Schwert vorbei, und dann ging endlich der Mond auf und warf seinen Silberschein an die Wand. Plötzlich hatte ich am ganzen Körper ein taubes Gefühl und konnte mich nicht mehr bewegen. Panik erfüllte mich, als ich vergebens versuchte, auch nur mit einer Wimper zu zucken. Mir schien eine unendlich lange Zeit zu vergehen, während ich gegen meine Hilflosigkeit ankämpfte, bis ich eine Stimme hörte.

„Aneka“, sagte sie. „Du brauchst keine Angst zu haben, sie wird nicht aufwachen. Ich habe sie mit einem Starrezauber belegt. Bist du wach, Liebste?"

Ich hätte etwas gesagt, aber ich konnte es nicht. Aneka rührte sich nicht. Schwingen schlugen, und eine große dunkle Gestalt flog über das Stück Himmel, den ich sehen konnte.

„Aneka", rief die Stimme. „Ich bin es, Fenist! Der Mond ist aufgegangen. Wach auf und laß mich ein, Liebste, denn sie hat das Fenster verbarrikadiert. Wachst du auf, Aneka?"

Auch jetzt konnte ich nicht an ihrer Statt antworten, und sie selbst bewegte sich nicht. Wieder schlugen die Schwingen, und die dunkle Gestalt befand sich am Fenster. Krallen scharrten am Sims, Flügel flatterten, und ein Wehlaut war zu hören.

„Aneka!" Die Stimme klang jetzt verzweifelt. „Ihr Schwert am Fenster schneidet mich durch und durch. Aneka, weißt du nicht, welche Nacht es ist? Wach auf und laß mich ein. Ich verblute hier in der Dunkelheit – *Aneka*!

Ich bin sicher, daß ich aufgestanden wäre und ihn eingelassen hätte, wäre nicht der Starrezauber gewesen. Und Aneka rührte sich nicht. Schweigen herrschte, in dem ich Atemzüge vernahm, rauher als die eines Vogels, und etwas sickerte auf das Fenstersims. Dann hörte ich ihn sagen:

„Aneka, ich rief dich dreimal, doch du antwortetest mir nicht, dabei sollte ich dich heute nacht fortbringen. Wenn du nicht aus deinem Willen zu mir kommst, wirst du es durch meinen!"

Die dunklen Schwingen, die sich vom Mondschein abhoben, verschwanden heftig schlagend in der Ferne. Und ich saß da, starr durch seinen Zauber und nicht weniger vor Mitleid. Sein Flehen hatte mich zutiefst gerührt. Es erinnerte mich daran, wie ich auf fast gleiche Weise gefleht hatte, Fenala möge aufwachen und sich mir zuwenden. Und auch sie hatte sich nicht bewegt, nicht bewegen können!

Ich riß mich zusammen. Das war kein einsames Kampfmädchen gewesen, sondern ein Gestaltwandler, der ein für einen anderen Mann bestimmtes, unschuldiges Mädchen verführt und mich hilflos gemacht, ja Aneka vielleicht sogar das Mittel gegeben hatte, das sie in meinen Wein tat. Und was hatten sie getan, während ich schlief? Unwillkürlich machte ich eine abwehrende Geste, um diesen Gedanken nicht weiter zu verfolgen, da entdeckte ich, daß ich mich wieder bewegen konnte. Ich rannte zum Fenster und holte mein Schwert. Blut klebte an der Schneide und ein paar Tropfen schimmerten im Mondschein auf dem Sims.

Ich reinigte die Klinge, schob das Schwert in seine Hülle, zog mich aus und legte mich nieder. Aber ich konnte lange nicht einschlafen. Zwei Stimmen hallten in meinem Kopf. Eine war die von Fenist, dem Gestaltwandler:

„Wenn du nicht aus deinem Willen zu mir kommst, wirst du es durch meinen!"

Die andere war meine eigene, die die Worte auf meinem Schwert las. *Freundschaft ist zweischneidig*, stand darauf. Warum? Sollte ein Schwert mein einziger Freund sein? Sicher, ohne Probleme ging es nie ab, wenn man sich mit anderen einließ . . .

Das Donnern, das mich weckte, verlor an Lautstärke und wurde zu Meister Gelens Klopfen an der Tür. Ich antwortete irgend etwas, da ging er wieder weg. Ich stand auf. Aneka schlief tief und lag, als hätte sie sich die ganze Nacht nicht gerührt. Mein Blick fiel auf das Schwert an meiner Seite, und sofort wurde die Erinnerung an die Ereignisse der Nacht wach. Mutter der Stuten, betete ich, gib mir die Kraft, mir nichts anmerken zu lassen. Du weißt, ich kann nicht lügen . . . Ich bückte mich, um Aneka wachzurütteln.

Ich brauchte mir nichts anmerken zu lassen. Sie schlug die Augen auf, und es dauerte nicht lange, das sah ich, bis ihr klar wurde, daß sie ihn verfehlt hatte. Sie sprang mit einem Satz aus dem Bett, trotz der Kopfschmerzen, die es ihr verursachen mußte, rannte zum Fenster und schwang es weit auf. Sie starrte hinaus, nach Osten, dann Westen, wo die Berge näher zu sein schienen, und dann entdeckte sie das verkrustete Blut auf dem Fenstersims. Einen Moment erstarrte sie, dann begann sie gellend zu schreien.

Wir brachen viel später als vorgesehen auf. Aneka war immer noch hysterisch, obwohl sie nun glücklicherweise lediglich schluchzte und hin und wieder „Verräterin!" stöhnte. Ich hatte gar nicht versucht, ihr die Sachlage zu erklären, sondern bemühte mich nur, das Mädchen in die Sänfte zu bekommen. Die Fragen des Vetters beantwortete ich mit einem bedeutungsvollen Blick zum Mond, der eben hinter den Bergen unterging. Das war glaubhaft genug, denn er würde wohl kaum wissen, wann ihr letzter Mondtag gewesen war. Da die Hälfte der Packtiere bereits aufgebrochen war, wurden Anekas Truhen zu ihr in die Sänfte geschafft. Hinter zugezogenen Vorhängen lag sie wimmernd zwischen ihnen. Sie tat mir leid, aber ich sah keinen anderen Weg, als sie zu ihrem zukünftigen Gemahl zu bringen, und konnte nur hoffen, daß sie klug genug war, ihn in der Hochzeitsnacht zu täuschen. Wir ritten aus dem Hof und die staubige Straße zum Nordpaß hoch. Die beiden Pferde mit der Sänfte kamen gut voran, dafür sorgte ich schon. Ich ritt auf meinem Grauen neben ihnen her.

Die Packtiere erreichten den Fuß des Passes gegen

Mittag. Von hier aus wand die Straße sich in Serpentinen zu den trostlos wirkenden Höhen hoch, wo nicht einmal Gras oder Ginster wuchs. Wir ritten jetzt langsamer, trotzdem hatten wir am Mittnachmittag den ersten, scheinbaren Gipfel erreicht. An den nächsten Straßenwindungen konnten wir bald das Hohe Haus sehen, wo wir die Nacht verbringen würden. Die Straße war hier sehr schmal, gerade breit genug für ein Tier. Ich ritt nun vor der Sänfte, ihr folgte die zweite Hälfte der Packtiere, ein Dutzend etwa. Aneka steckte den Kopf aus der Sänfte und erklärte mir mit der eisigen, gekränkten Würde einer Halbwüchsigen, daß sie hinter einen Busch gehen mußte.

„Es gibt keine Büsche hier", erwiderte ich. „Du wirst schon mit einem Felsblock vorlieb nehmen müssen." Ich hielt die Sänftenpferde an, und die Packtiere drängten sich an ihnen vorbei. Die Treiber fluchten, als sie auf dem steinigen Boden ausglitten. Aneka stieg aus und fand einen geeigneten Felsbrocken. Als sie geruhte, wieder zu erscheinen, war das Ende der Kolonne längst außer Sicht, und die Spitze tauchte gerade auf einer weit entfernten Biegung auf. Aneka kletterte in die Sänfte zurück. In diesem Augenblick verdeckte etwas die Sonne, und ich hätte schwören können, daß ich Flügelrauschen hörte, aber als ich hochsah, war der Himmel leer. Ich trieb die Sänftenpferde zu einem schwerfälligen Trott an. Mit dröhnenden Hufen umrundeten wir die nächste Biegung zu einer Stelle, wo die Straße kurz wieder ihre ursprüngliche Breite annahm. Dester scheute und warf den Kopf zurück. Er weigerte sich weiterzutraben.

„Was hast du denn, Dummer?" fragte ich ihn. Ich drückte ihm Knie und Fersen in die Flanken und benutzte die Peitsche abwechselnd für ihn und die Sänftenpferde. Dester wieherte, bäumte sich halb auf und schwang zu dem vorderen Sänftenpferd herum. Ein Donnern und Krachen und Tosen erdröhnte über uns. Eine Geröllawine polterte herab, und in Blitzesschnelle war die ganze Breite der Schlucht vor uns mit Steinen, Felsbrocken und Erdstücken gefüllt, von denen würgender Staub aufstieg.

Das vordere Sänftenpferd, das durch Desters Verhalten bereits verstört war, wieherte panikerfüllt und versuchte, gleichzeitig zurückzuweichen und durchzugehen. Auch das hintere Pferd wich zurück. Und gleich darauf, ich weiß gar nicht, wie sie es fertigbrachten, so schnell zu wenden, brausten sie schon die Straße zurück hinunter. Die Sänfte zwischen ihnen schwankte wie im Sturm, und Anekas schrille Schreie drangen über das Hufgedröhn zu mir.

Endlich gelang es mir, wieder die Herrschaft über Dester zu erlangen. Wir wendeten ebenfalls, und ich lenkte ihn der Sänfte nach, allerdings in einem weniger halsbrecherischen Tempo. Dann grollte und donnerte es erneut hinter uns, und eine kleinere Lawine folgte ihrer Vorgängerin. Ich glaube, ein Stein muß Dester getroffen haben, denn er wieherte erschrocken und machte einen weiten Satz vorwärts. Wie durch ein Wunder konnte ich mich auf seinem Rücken halten. Ich klammerte mich an den Knauf, während er der Sänfte nachbrauste, als hätte er Flügel.

Ich weiß jetzt noch nicht, wo wir waren. Gewiß, wir folgten den Sänftenpferden, aber die verließen bald die Straße. Ich war jedenfalls viel zu sehr damit beschäftigt, mich festzuhalten und meinen Grauen wieder unter Kontrolle zu bringen, als daß ich dazu gekommen wäre, mich umzusehen. Als Dester endlich ermüdete, zwang ich ihn zum Trott, obwohl er sich viel lieber verschnauft hätte. Wir waren jetzt auf einem Bergpfad. Die Sänfte befand sich vor uns auf einem Kamm, hinter einem überhängenden Felsen. Sie war unbeschädigt und noch sicher an beiden Pferden befestigt. Anekas Schluchzen war laut zu hören. Ich konzentrierte mich darauf, sie zu erreichen, und so konnte der Mann, der von dem Überhang herabsprang, mich überraschen. Ich kämpfte mit Zähnen und Nägeln gegen ihn und hatte schon fast die Oberhand gewonnen, als sein Begleiter herbeirannte und mir einen Schlag auf den Kopf versetzte. Sterne funkelten vor meinen Augen, und dann wurde es Nacht für mich.

Ich erwachte im Fackellicht. Es flackerte und hüpfte vor meinen geschlossenen Lidern. Rascheln und Atmen waren zu hören. Mein Kopf schmerzte. Ich wunderte mich vage, weshalb – und erinnerte mich.

„Aneka?“ rief ich und öffnete die Augen. Sie tauchte neben mir auf und wirkte erleichtert, aber ihre Augen war noch tränenverquollen.

„Tut es sehr weh?“ fragte sie. „Dein Kopf, meine ich.“

Ich hob die Hand und betastete ihn vorsichtig. Ich berührte eine Beule am oberen Nackenende.

„Ich werde es überstehen“, brummte ich. „Wo sind wir? Was ist passiert?“

„Ich weiß es nicht“, erwiderte sie. „Thula, ich habe Angst.“

„Erzählt, was passiert ist, nachdem man mich erledigt hatte.“ Ich setzte mich stöhnend auf. Ich befand mich in einem hohen, reichverhangenen Bett. Rundherum standen Truhen, und an einer Seite befand sich ein Schränkchen und ein Vorhang, mit dem ein Luftzug spielte. Vermutlich befand sich eine Kleiderkammer dahinter. Das Fenster war vergittert. Ein hoher Kamin gähnte uns schwarz an. „Wie sind wir hierher gekommen?“ fragte ich Aneka. Sie hatte sich inzwischen neben mich auf das Bett gesetzt.

„Sie warfen dich zu mir in die Sänfte", antwortete sie. „Sie wollten nicht zu mir sprechen, und was sie zueinander sagten, verstand ich nicht. Ich sah den Weg nicht, als sie uns fortschafften, denn ich versuchte, dich aufzuwecken. Dann mußte ich, als wir angekommen waren, auf einem Hof aussteigen. Dich hoben zwei Männer heraus, einer nahm mich am Arm, und sie brachten uns hierher. Ich bemühte mich weiter, dich zu wecken. Als es mir nicht gelang, schlief ich ein", schloß sie.

Unwillkürlich mußte ich darüber lachen, aber es tat so weh, daß ich schnell aufhörte. Aneka bedachte mich mit einem würdevollen Blick, dann fügte sie hinzu: „Es steht etwas zu essen da."

Nach einem Glas Wein und einem Hühnerschenkel fühlte ich mich gleich wohler. Ich ging im Zimmer herum, als ich erfreut festgestellt hatte, daß meine Beine mich trugen. Mir fielen die Worte von Anekas Liebstem ein: *Wenn du nicht aus deinem Willen zu mir kommst, wirst du es durch meinen!* Was konnte ich nur tun? Ich war für Aneka verantwortlich. Ich mußte sie zu ihrem zukünftigen Gatten in Maer-Cuith bringen, aber wie sollten wir von hier entkommen?

Die Tür schwang auf. Aneka holte tief Luft, als wollte sie zu schreien anfangen. Ich griff nach meinem Dolch, aber der erste der drei, die eintraten, hatte eine Armbrust auf mich gerichtet. Der zweite verbeugte sich vor Aneka und faßte mich am Handgelenk. Der dritte hielt selbst einen Dolch in der Rechten und griff mit der Linken nach mir.

„Thula ...", rief Aneka verstört.

„Ist schon gut", antwortete ich. „Ich glaube nicht, daß sie dir etwas antun werden."

Mit der Armbrust an meinem Nacken wurden wir eine Wendeltreppe hinuntergeführt. Am Fuß der Treppe stand ein Junge mit einer Fackel in der Hand und starrte Aneka an. Dann drehte er sich um und schritt einen Korridor voraus in die Tiefe der Burg. Wir wurden ihm nachgeführt, ohne daß man unser Handgelenk losließ, und außerdem stapfte der mit der Armbrust auf filzsohligen Stiefeln dicht hinter mir her. Durch viele Gänge kamen wir und über viele Treppen, so daß ich unwillkürlich an einen Kaninchenbau denken mußte. An einer Tür hielten wir an. Anekas Führer klopfte und sagte etwas Unverständliches mit rauher Stimme. Die Tür wurde geöffnet, und wir betraten einen mit Fackeln und unzähligen Kerzen hell erleuchteten Raum. Aneka stand ein paar Herzschläge lang wie erstarrt vor mir, dann stieß sie einen Schrei aus. „Fenist! O Fenist!“ rief sie. Sie rannte los, und ich wurde in das Gemach gestoßen. Hinter uns schloß sich die Tür.

Aneka kniete neben einem mit Fellen dick bedeckten Bett. Kerzenlicht fiel auf ihren Kopf und die Hand, die aus den Fellen wie eine Liebkosung auf ihrem Nacken lag. Ich schritt um das Bett herum. Die Armbrust folgte mir bei jedem Schritt – bis ich Anekas Gesicht sehen konnte. Sie beugte sich über den Mann im Bett und überschüttete ihn mit Küssen. Er flüsterte immer und immer wieder: „Aneka, meine Liebste, mein Herz, meine Aneka ...“

Ich schaute ihnen mit dem etwa halben Dutzend Männern im Zimmer eine Weile zu, dann trat ich näher ans Bett, trotz der stupsenden Armbrust an meiner Seite, und legte eine Hand auf Anekas Schulter. Ihr Kopf drehte sich mir verwirrt zu, und die Augen des Mannes hoben sich zu meinen. Ich wich der Herausforderung in ihnen aus und sagte sanft:

„Aneka, du bist versprochen, vergiß das nicht. Du sollst Alevr ma Julden von Dervir angetraut werden ...“

„Ich habe nichts versprochen!“ fauchte sie. „Ich habe keinen Ehevertrag unterzeichnet. Frauen sind keine Handelsware wie Brillanten oder Zimt. Das solltest du eigentlich wissen!“

„Sie ist mein!“ sagte der Mann zwischen den Pelzen. Ich richtete mich auf und diesmal schaute ich ihm fest in die Falkenaugen.

„Mein guter Herr“, sagte ich. „Ich habe einen Vertrag mit Anekas Vater, der mich dafür verantwortlich macht, daß sie das Haus ihres zukünftigen Gatten so erreicht, wie sie das ihres Vaters verlassen hat. Ich schwor, ihre Ehre wie meine eigene zu beschützen. Meine Ehre ist nichts Großartiges ...“ Seine Augen wirkten spöttisch, deshalb fügte ich schnell hinzu: „außer für mich selbst, aber der Orden verliert zwanzig Goldsichel und seine Ehre außerdem.“

„Ich gebe Euch vierzig“, versprach er. Seine Augen wirkten verschmitzt, und der harte Mund unter der Hakennase lächelte plötzlich gewinnend. „Allerdings hat sie mein Haus nicht ganz so erreicht, wie sie das ihres Vaters verließ, aber darüber werde ich unter diesen Umständen hinwegsehen.“

„Ich müßte sie töten“, brummte ich.

Aneka suchte schnell in der Armbeuge ihres Liebsten Schutz.

„Und wie weit würdet Ihr kommen, wenn Ihr es tätet?“ Er beobachtete mich nicht ohne Sympathie. „Fräulein, wie würde Anekas Leben denn in den Frauengemächern von Alevr ma Juldens Haus aussehen?“

Ich erinnerte mich vage an das Leben meiner Mutter, ehe man mich dem Orden übergab. Düfte und raschelnde Gewänder, andere Damen, die kamen und gingen, und das Echo der Stimme meines Vaters, das Mutter wie ein Kaninchen erstarren ließ, das einen Fuchs hört. Der Mann beobachtete mich.

„Genau so“, sagte er, als er meine Gedanken aus meinem Gesicht ablas. „Hier wird sie die Herrin meiner Burg und Ratgeberin meines Volkes sein. Vielleicht lehre ich sie sogar das Lesen.“ Er drückte einen Kuß auf Anekas Nasenspitze, ehe er sich wieder mir zuwandte und mich wie ein kreisender Falke anstarrte. Und dann stieß der Falke herab.

„Ich will verdammt sein, wenn ich einfach hier liege“, sagte er und bewegte sich schwerfällig zwischen den Fellen, „und mich abplage. Euer Gewissen zu beruhigen. Obig, hol mir das Brett dort. Fräulein, ich spiele drei Partien Belagerung mit Euch. Gewinne ich alle drei, wird Aneka ihr und Euer Geschick bestimmen. Gewinne ich zwei, dürft Ihr ohne weiteres Wort die Burg verlassen. Gewinnt Ihr zwei, könnt Ihr versuchen, Aneka zu überreden, mit Euch zu kommen.“

„Und wenn ich drei gewinne?“ fragte ich. Er lachte, aber er zuckte zurück. als schmerzte es ihn.

„Das werdet Ihr nicht“, erklärte er selbstsicher.

„Aber du wirst es, Liebster“, sagte Aneka. „Ich habe sie gestern abend geschlagen, und du kannst mich schlagen.“

Diesmal küßte er sie auf die Wange und holte den anderen Arm aus den Pelzen, um mir damit zu bedeuten, mich auf ein Kissen, dem Brett gegenüber, zu setzen. Weißes Linnen auf seiner braunen Haut ließ Aneka die Luft einziehen.

„O Fenist, ich dachte ...“ Sie starrte seinen Arm an, dann zog sie die Pelze zurück. Auch unterhalb des Brustkorbs war er in Linnen gewickelt. Ihre Augen wurden unnatürlich groß. Nach einer kurzen Weile hüllte sie ihn wieder in die Pelze und sah mich an.

„Das hast du getan!“ sagte sie. Ich wußte plötzlich, daß ich besser keine drei Spiele verlor. Und dabei hatte ich gedacht, daß sie mich gut leiden konnte ...

„Es war im Zuge ihrer Pflichten“, beruhigte Fenis sie. „Ich nehme es ihr nicht übel. Ich benahm mich vielleicht ein wenig töricht.“ Er studierte die aufgestellten Figuren. „Meine Eröffnung“, Fräulein! Des Königs Hauptmann rückt drei Felder vor.“

Ich schaute überrascht hoch, aber er hatte sich bereits wieder Aneka zugewandt. Diese Eröffnung war die berühmteste der Ritualspiele und wurde für normale Partien kaum verwendet. Vielleicht... Aber möglicherweise bildete ich es mir nur ein. Ich führte folgenden Zug aus: Des Königs Hauptmann zum Eckturm. Beim Klicken der Figur schaute Fenist auf das Brett, dann bewegte er den Soldaten der Königin ohne Zögern zwei Felder nach links. Seine Augen trafen meine über dem Brett. Sein Blick war undeutbar. Als ich zu überlegen vortäuschte, ehe ich den Reiter der Königin zur Unterstützung meines Königshauptmanns vorruckte, lächelte er sanft und bewegte sich vorsichtig zwischen seinen Pelzen. Ich starrte auf das Brett, ohne es zu sehen. Es war eine rituelle Partie, und ich sollte sie gewinnen. Warum?

„Also darf ich die Burg ungehindert verlassen“, sagte ich, als ich die Figuren für die nächste Partie aufstellte. Wieder lächelte er und nickte.

„Das stimmt, Fräulein“, bestätigte er. „Eure Eröffnung.“

Ich zögerte mit der Hand über dem Brett. Wenn ich gewann, hatte ich das Recht, Aneka zu überreden, mitzukommen und das Versprechen ihres Vaters einzulösen. Verlor ich, konnte ich immer noch versuchen, das nächste Spiel zu gewinnen. Immer noch zögernd hob ich meine Königin. Unterstützte sie lediglich ihren König zu Beginn der Belagerung, war das eine zweideutige Eröffnung. Setzte ich sie dagegen zum Angriff ein...

„Königin zum Eckturm", murmelte ich.
Sein Lächeln verriet, daß er meinen Zug würdigte.
„Sehr symbolisch", sagte er. „Jetzt mein Zug: König zum Eckturm."
Ein eisiger Finger strich mir über das Rückgrat. Das war ein freies Spiel, und er war entweder ein Meister oder ein Narr, aber irgendwie, wenn ich das schmale, feste Gesicht Lord Fenists betrachtete, konnte ich ihn mir nicht als Narren denken. Aber man bildet uns gut aus im Orden, ehe man uns in die Welt hinausschickt. Ich zog meinen König zur Unterstützung der Königin.
Dieses Spiel dauerte länger. Aneka und Fenists Soldaten schauten stumm, ohne auch nur einen Muskel zu rühren, zu. Wir beide bewegten uns bloß, wenn wir die schwarzen und weißen Figuren rückten. Und das einzige Geräusch war das Klicken, das sie auf dem Brett verursachten, das Knistern der Fackeln in den Wandhalterungen, und das langsame Atmen meines Gegners.
„Matt", sagte er schließlich. „In drei Zügen. Richtig?"
„Fünf", verbesserte ich ihn.
„Nun gut, fünf", gab er widerwillig zu. „Obig! Wein für die Damen."
Ich richtete mich auf und bemerkte, daß mein Kopf schmerzte. Er beobachtete mich. Der harte Mund lächelte unter dem Falkenschnabel einer Nase.
„Wollt Ihr uns die dritte Partie nicht schenken und eingestehen, daß Ihr geschlagen seid?"
Genau das hatte ich mir gerade überlegt.
„Nein", erwiderte ich. Er lachte und zuckte wieder zusammen. Ich nahm einen tiefen Schluck des Weines und stellte die Figuren auf. „Ihr verliert einen Mann", sagte ich. „Ich verteidige, also ist es Eure Eröffnung."
Er überlegte kurz. Dann machte er den ersten Zug. Soldat des Königs drei Felder nach rechts. Wieder eine

Eröffnung, die außerhalb der Rituale kaum gespielt wurde, und diesmal sollte er gewinnen. Ich schaute auf das Brett, dann blickte ich ihn an. Der nächste Zug in diesem Spiel war, den Soldaten des Königs zwei Felder zur Brustwehr zu rücken. Ich dachte mehr als einen Moment darüber nach, dann hob ich meine Königin.

„Königin zum Eckturm“, sagte ich laut und stellte sie ab. Seine Hand hatte bereits über seinem Soldaten der Königin angehalten, um ihn zum Schutz der anderen Figur zu bewegen. Bei meinen Worten schaute er scharf von Anekas zu ihm hochblickenden Gesicht auf. Ein verständnisvoller Blick und er begann, mit der Hand auf seine Seite gepreßt, zu lachen.

„Nicht, Liebster, bitte ...“, flehte Aneka ihn besorgt an. „Fenist, bitte nicht. Es wird wieder bluten!“

„Ich weiß“, erwiderte er, immer noch schwach lachend. „Oh, Ihr zeigt also Eure Zähne, Fräulein! Nun, hier ist die Antwort. König zum Eckturm.“

Diese Partie dauerte am längsten von allen dreien. Aneka und die Soldaten schauten auch jetzt stumm zu. Und wieder waren die einzigen Geräusche das Klicken der Figuren, das Knistern und Prasseln der Fackeln, und das langsame Atmen meines Gegners. Ja, es war das längste und das am knappsten gewonnene Spiel.

„Matt“, erklärte Fenist schließlich. „In drei Zügen mit diesen drei Figuren: des Königs Hauptmann rückt hierher, dieser Soldat dorthin, und dieser hierhin, und die Burg ist in meiner Hand.“

„Ich sehe es“, sagte ich. „Nicht nötig, es zu detaillieren. Falkenmatt.“

„Nein“, murmelte er mit gerunzelter Stirn. „Nicht nötig.“ Er ließ sich mit grauem Gesicht zwischen die Pelze fallen. Ich stand auf und fragte:

„Mein guter Herr, wann wollt Ihr, daß ich aufbreche?“

„Morgen früh“, erwiderte er. „Ich lasse Euch Proviant herrichten und ein zweites Pferd.“ Seine Worte kamen schleppend. Aneka, die sich besorgt über ihn beugte, war die einzige, die seine nächsten Worte noch verstand, ehe er einschlief. Sie richtete sich auf und schaute mich über das fellbedeckte Bett unfreundlich an.

„*Ihr verliert schwer*“, wiederholte sie laut seine Worte. Sie wandte sich an die Männer. „Bringt sie unter, wie mein Lord es gewünscht hätte. Das Zimmer, in dem wir gefangen waren, ist genau richtig.“

Ich drehte mich auf der Schwelle um, obgleich die Armbrust wieder einmal gegen meine Schulter stupste.

„Aneka“, sagte ich. Sie schaute mich an. „Was steht auf meinem Schwert?“

Sie starrte mich, sich langsam erinnernd, an.

„Freundschaft ist zweischneidig“, murmelte sie.

„Gute Nacht, Aneka“, wünschte ich ihr.

„Lebe wohl, du, die du meine Freundschaft hast“, erwiderte sie. „Der Morgen ist schon nah.“

Und so ritt ich allein herab von dem Alten Gebirge, in Richtung Amyn auf der Südwestseite, mit vierzig Goldsicheln als Anekas Brautpreis in einer Satteltasche, und zehn weiteren als meine Bezahlung, denn es wäre sehr unweise, sie von Alevr ma Julden kassieren zu wollen. Mein Gewissen quälte mich ein wenig, denn Belagerung war ein dem Mond heiliges Spiel, das nicht benutzt werden durfte, wie ich es getan hatte. Der Unterschied ist sehr fein zwischen einem, der das Spiel verliert und dem anderen, der es gewinnt. Und was immer er auch glauben mochte, Lord Fenist, Fenist, der Falke, hatte dieses letzte Spiel nicht gewonnen. Ich hatte es verloren. Es gibt viel mehr aufgezeichnete Varianten des Spieles, als je in den Ritualen benutzt werden.

DIE STADT DES WAHNSINNS

von

Charles R. Saunders

1.

Die Tagesstille des grünen, brütenden Waldes wurde rauh zerrissen. Vögel flatterten aufgescheucht durch die oberen Laubterrassen, und langschwänzige Affen schwangen sich aufgeregt von Ast zu Ast und keckerten erschrocken. Selbst die wildesten Dschungeltiere hielten unsicher in ihrem Beutefang inne, als das fremdartige, unbekannte Ding, der Unruhestifter, näher kam. Ungewöhnlich waren die Laute, die es von sich gab. Sie klangen, als kämen sie von einem noch viel mächtigeren Tier als alle, die in diesem Dschungel hausten.

Dieser rätselhafte Eindringling, das spürten die Tiere, war so ganz anders als die beiden Fremden, die erst vor kurzem diesen Weg genommen hatten.

Hier in dieser friedlichen Lichtung standen die Bäume weit auseinander, und ein Stück weiter gab es viele ähnliche Lichtungen. Und dann trat in den Sonnenschein dieser Lichtung die Kreatur, die Ursache für die ungewöhnlichen Laute gewesen war, die die Tiere so verstört hatten. Es war ein *Mensch*! Ein Mann, ein unwillkommener Eindringling in diesem bisher unberührten Urreich. Und nun wurde auch klar erkenntlich, was die fremdartigen Geräusche verursachte. Der Eindringling hieb und hackte sich mit einem riesigen Krummsäbel aus blauem Azanstahl einen Weg durch das dichte Unterholz am Rand der Lichtung.

Als er sie erreicht hatte, bückte der Mann sich und warf suchend einen Blick über den laubbestreuten Boden. Mit einem zufriedenen Brummen richtete er sich auf und offenbarte so eine riesenhafte Statur.

Kräftig und doch geschmeidig war sein halbnackter Körper, mit breiten Schultern, mächtiger Brust, schmaler, sehniger Mitte, und langen, muskelstrotzenden Beinen. Glatte, dunkelkakaofarbige Haut schimmerte, glänzend vor Schweiß, durch die zerrissene Kleidung, die in Fetzen von ihm herabhing. Blutverkrustete Wunden hoben sich wie Runen von der dunklen Haut ab, und sein wolliges Haar war mit Blut verklebt.

Unter anderen Umständen hätte man sein Gesicht, obgleich es fast grob geschnitten war, als gutaussehend beschreiben können. Es gehörte einem jungen Mann, der gerade erst seine Reife erreicht hatte. Aber die dikken, vollen Lippen, die kurze Nase mit den weiten Flügeln, und die tiefliegenden, obsidianschwarzen Augen waren zu einer Maske des Hasses erstarrt. Teufelslichter gnadenloser Rache funkelten in diesen schrecklichen Augen. Vielleicht war das der Grund, weshalb die Dschungeltiere vor ihm flohen?

Eines jedoch floh nicht. Gerade in diesem Augenblick näherte es sich dem schwarzen Riesen einen laubverborgenen Baumstamm hinab.

Der junge Krieger ahnte nichts von dem lauernden Tod. Nur den einen Gedanken kannte er, auf der Fährte jener zu bleiben, die er verfolgte, und so hätte er fast sein Ende durch das ihn lautlos anspringende Tier gefunden. Lediglich seine Urinstinkte und seine blitzschnellen Reflexe ermöglichten es ihm, sich zur Seite zu werfen. Trotzdem wurde eine Schulter durch lange, mächtige Krallen aufgerissen, als das Baumtier ihn knapp verfehlte.

Sofort sprang der junge Krieger wieder auf die Füße und wirbelte herum, um sich seinem Gegner zu stellen.

Grauenvoll knurrte Chui Neyekundu, der rote Panther, der gefürchtetste Räuber ganz Nyumbanis, vor Wut, weil sein Sprung daneben gegangen war. Chui Nyekundu war an Größe etwa ein Mittelding zwischen Leopard und Löwin, und geschmeidig und kräftig war er. Seine Pranken mit den scharfen Krallen waren furchterregende Waffen, doch viel gefährlicher waren die langen Säbelzähne, die sich unterhalb seines struppigen Kinns bogen. Das gleichmäßige Rot seines Pelzes verlieh Chui Nyekundu den Namen.

Wie ein blutiger Blitz sprang die große Katze erneut. Sie hatte den geifernden Rachen weit aufgerissen, um die tödlichen Fänge tief in des Kriegers Kehle stoßen zu können. Und wieder entging der Schwarze erstaunlicherweise ihrem Angriff. Diesmal schwang er sich auf den Rücken des Tieres, als die Wucht seines Sprunges es an ihm vorbeitrug. Der Krieger ließ den Säbel fallen und zog stattdessen einen Dolch, den er in Chui Nyekundus Seite stach.

Einen kurzen Moment lag der Panther durch das Gewicht des jungen Kriegers auf den Boden gepreßt. Doch als die Klinge in ihn drang, brüllte Chui Nyekundu vor Schmerz auf und hüpfte wütend auf dem Waldboden umher, als spüre er die Last überhaupt nicht. Der Mann klammerte sich hartnäckig fest. Die Beine lagen wie eine Zwinge um den mächtigen Leib der Raubkatze, und die Arme außerhalb Reichweite der tödlichen Säbelzähne.

Wieder und immer wieder stach der Dolch tief in das Fleisch Chui Nyekundus, bis das rote Fell von dem leuchtenderen Scharlachrot seines eigenen Blutes bespritzt war. Allmählich ließ sein wilder Kampf nach, das wütende Knurren wurde schwächer. Und dann fand des schwarzen Kriegers Klinge Chui Neyekundus Herz.

Noch ein letztes Zucken, und der rote Panther lag für immer still. Der Schwarze stand auf und betrachtete seinen toten Gegner. Da er in den weiten gelben Steppen südlich vom Nyanzasee aufgewachsen war, kannte er diesen gefürchteten Räuber des Dschungels nicht. Trotzdem hatte er gesiegt, genau wie er in der Mannbarkeitsprüfung seines Stammes Mkrara, den Löwen, bezwungen hatte ... Schwer atmend von dieser Anstrengung säuberte der Schwarze den Dolch. Als er seinen Säbel wieder an sich nahm, dachte er über die Tatsache nach, daß nicht viel gefehlt hatte, und er wäre Chui Nyekundus nächstes Mahl geworden. Zweifellos mußte er hier im Dschungel besser aufpassen, wenn er überleben wollte.

Aber immerhin war die Spur jener, die er verfolgte, leicht zu lesen, denn sie waren mit Wald und Dschungel genausowenig vertraut wie er. Vorsichtig und um eine Erfahrung klüger, setzte der Krieger seine grimmige Verfolgung fort.

2.

Der Krieger hatte sich eine Stunde lang weiter einen Weg durch das dichte Buschwerk geschlagen, als er ferne Laute hörte, die unverkennbar aus Menschenmund stammten. Sein Herz hüpfte vor wilder Freude. Endlich war er seinen Opfern nahe. Seine Augen leuchteten erbarmungslos auf ...

Beim Näherkommen zog der Schwarze verwirrt die Brauen zusammen, denn die Stimmen unterhielten sich in einer ihm fremden Zunge. Außerdem wurde das Gespräch, oder was immer, mehrmals von rauhem Gelächter und lauten Schmerzensschreien unterbrochen.

Obgleich er völlig von seiner Rache erfüllt war, reizte es ihn doch, dem Grund dieses Lachens und dieser

Schreie nachzugehen. Die Stimmen erklangen direkt von der Fährte seiner Opfer. Er beabsichtigte jedenfalls herauszufinden, welche Verbindung zu ihnen bestand.

So lautlos wie Chui Nyekundu erreichte er die letzte Buschbarriere. Er zog das dornige Unterholz ein wenig zur Seite und starrte mit großen Augen auf das, was sich seinem Blick bot.

Vier Männer standen auf der Lichtung. Keiner von ihnen hatte Ähnlichkeit mit bekannten Rassen. Drei waren absolute Anomalien: mittelgroß, mit unnatürlich heller Haut, schmalen Zügen und schlangengleichen schwarzen Locken, die aus rostigen Metallhelmen herausquollen. Eine Rüstung aus abgewetztem Leder und verbeulten Metallplatten schützte ihre Leiber.

Seltsam und unheimlich war der Schmuck um ihre schmale Mitte. Jeder dieser drei gerüsteten Männer hatte dort einen Menschenschädel von einer Goldkette baumeln Die Schädel waren schwarz bemalt.

Abstoßende Schadenfreude verzerrte die Gesichter der drei, die ihren abscheulichen Spaß mit dem vierten, dem am ungewöhnlichsten aussehenden Mann hatten.

Er war nicht größer als ein Zwerg, aber von vollkommenen Körperproportionen. Sein nackter Leib von rotbrauner Hautfarbe blutete stark an verschiedenen Stellen, vor allem am Gesäß. Dort stocherten die drei mit ihren schmalen Schwertern herum. Jedesmal, wenn der Zwerg den Klingenspitzen verzweifelt auszuweichen versuchte, versetzten die drei Weißen ihm heftige Fußtritte.

Dem schwarzen Krieger in seinem Versteck gefiel gar nicht, was er hier sah. Etwas an dem Aussehen der hellhäutigen Folterer erweckte einen Abscheu in ihm, der unwillkürlich aus den tiefsten Tiefen seiner Rassenerinnerung aufstieg. Außerdem erregte die bedauernswerte Lage des Zwerges sein Mitgefühl.

Aber was immer auch seine Motive, der Krieger vergeudete keine weitere Zeit, darüber nachzudenken. Er streifte das Dornengestrüpp mit einer heftigen Bewegung zur Seite. Mit dem furchterregenden Kriegsschrei seines Stammes stürmte er auf die Lichtung. Die drei Weißen erstarrten momentan. Dieser Schrei, der wie eine Mischung aus dem Brüllen Nundas, des Säbelzahntigers, und dem Kreischen Koddoleos, des Pavians, klang, übte schon seit Generationen seine mutzersetzende Wirkung auf die Stämme der östlichen Steppen aus.

In einem silbrigen Todesbogen durchtrennte des Kriegers Säbel den Hals des nächsten Weißen. Noch ehe der aufschreien konnte, flog sein behelmter Kopf in eine und sein Rumpf in die andere Richtung. Mit einer Geschwindigkeit, daß die Klinge schier verschwamm, stach er sie dem zweiten Weißen in den Bauch, bis sie am Rücken herausdrang. Der Mann stieß einen schrillen Schrei aus, dann spuckte er Blut und rührte sich nicht mehr.

Ehe der schwarze Krieger seine Waffe aus der Leiche befreien konnte, hatte der dritte sich soweit gefaßt, daß er wenigstens einen Versuch zu seiner Verteidigung machen konnte. Aber seine Bewegungen waren schwerfällig, außerdem hatte der Schrecken über diese furchterregende schwarze Erscheinung seinen Kampfgeist gedämpft.

Der Riese hatte keine Lust, mit seinem letzten Gegner Katz und Maus zu spielen. Drei mächtige Hiebe, und der Weiße schloß sich seinen beiden Gefährten in der Todeshalle von Mashataan an. Mit dem Gesicht lag er in einer sich verbreitenden Blutlache. Sein zerbrochenes Schwert ruhte neben ihm, und sein Schädel war gespalten.

Während der Krieger seinen Säbel an der Kleidung eines der Gefallenen säuberte, schaute der Zwerg zweifelnd zu ihm hoch. Der plötzliche, unwiderstehliche Angriff dieses Giganten hatte Furcht in ihm erweckt. Hatte der Schwarze ihn gerettet, oder war er nur vom Rachen des Schakals in den des Krokodils gelangt?

Der wildäugige Krieger starrte schweigend und unbewegt auf den winzigen Mann vor ihm. Anfangs hatte er ihn für einen Angehörigen der Iwa gehalten. Die Iwa waren ein Pygmäenvolk, das die nebeligen Grenzgebiete des grausamen Königreichs Rwanda unsicher machte. Aber dieser Bursche war sogar noch kleiner als sie, und seine kindlichen Züge und die geschwungene Stirn glichen keineswegs den Merkmalen der Iwa, noch sonst einer ihm bekannten Rasse.

Als er bemerkte, daß der Kleine offenbar immer noch Angst hatte, sprach der Krieger in Ngwana, der Zunge der Nyumbani, zu ihm.

„Yambo, Fremder“, sagte er mit polterndem, barbarischem Akzent. „Ich bin Imaro, ehemals vom Stamm der Ilyassai. Seltsam sind die Wege der Götter, daß wir uns hir im Blutbund in diesem fremden, unbekannten Land treffen.“

Der Pygmäe seufzte zutiefst erleichtert. Der Krieger hatte ihm den ehrlichen Gruß des Alten Kodes geboten und damit bestätigt, daß durch die Rettung seines Lebens eine gegenseitige Verpflichtung erwachsen war.

„Yambo-kuu, Krieger“, dankte er. „Ich bin Pomphis, einst von den Bambuti, jetzt von Cush. Mein Leben ist dein, und deines ist mein.“

Nach diesem rituellen Gruß sagte Imaro ohne längere Förmlichkeiten: „Gut, Kleiner, aber jetzt wollen wir uns mal die Fliegenstiche in deinem Hintern ansehen."

„Mein Name ist *Pomphis*!" brauste der Zwerg auf, als der Riese sich bückte um die glücklicherweise nicht tiefen Wunden zu begutachten.

3.

Pomphis' Unmut hielt nicht lange an. Nachdem seine Wunden versorgt waren und er mit seinem feinen Leinengewand auch seine Würde wiedererlangt hatte, erzählte er Imaro seine Lebensgeschichte. Da er von Natur aus gern redete, tat er, als bemerke er nicht, wenn Imaro nicht immer ganz bei der Sache zu sein schien.

Pomphis war ein Angehöriger der Bambuti, jener alten, schon fast legendären Rasse, die in Ituri Kubwa lebte, dem riesigen Regenwald weit im Westen. Als er noch ein Kind war, hatte sein Stamm sich zu nahe an den Rand der Dschungelwelt gewagt und war von einer Bande kohmescher Sklavenjäger gefangengenommen worden. Einer nach dem anderen waren die erwachsenen Bambuti gestorben, denn es gibt keine sicherere Weise, einen Bambuti zu töten, als ihn von seiner Waldheimat zu trennen.

Davon wußte aber der junge Pomphis nichts, und so hatte er den langen Treck ostwärts als einziger überlebt.

Auf dem Markt von Malindi, der azanischen Hauptstadt mit ihren prunkvollen Juwelentürmen, hatte der als seltene Kuriosität ersteigerte Pygmäe einen hohen Preis eingebracht. Viele Jahre hatte Pomphis daraufhin ein entwürdigendes Dasein als *Mjimja*, als Hofnarr, am Hof des Shaas verbracht.

Das Leben des kleinen Mjimjas geriet in große Gefahr, als man ihn im Bett der jungen, heiratsfähigen

Töchter des Shaas erwischte. Im Augenblick seiner bevorstehenden (und äußerst grausamen) Hinrichtung wurde der Pygmäe jedoch von unerwarteter Seite gerettet.

Ein Mann namens Khabatekh aus dem Hohen Reich Cush war sehr daran interessiert, den Mjimja für wissenschaftliche Forschungen zu erstehen. Widerwillig verkaufte der Shaa Pomphis an ihn. Er wußte nur zu gut, wie unklug es wäre, den Unmut eines Zaubergelehrten von Cush, dieser unvorstellbar alten und mächtigen Zivilisation, auf sich herabzubeschwören.

Auf diese Weise kam der Pygmäe aus Azanien mit seinem Leben davon. Der Shaa knirschte hilflos mit den Zähnen, als sein Exmijimja sich mit den Worten von ihm verabschiedete, er hoffe, er habe eine neue Dynastie vier Fuß großer Herrscher für das Reich gezeugt.

Khabatekh, der ursprünglich zuhöchst erfreut über die Gelegenheit war, einen lebenden Bambuti studieren zu können, fühlte sich bald in seinen Hoffnungen getrogen, denn der Pygmäe hatte so gut wie alles über seine Kindheit in Ituri Kubwa vergessen. Er konnte sich nicht einmal erinnern, welchen Namen seine schon lange toten Eltern ihm gegeben hatten.

Trotzdem empfand der Zaubergelehrte eine Zuneigung zu dem klugen Pygmäen, der sie auch nutzte, um nur ja nicht an den Hof des Shaas zurückgeschickt zu werden ...

Schließlich machte Khabatekh den Zwerg zu seinem Gehilfen und gab ihm sowohl die Freiheit als auch den Namen „Pomphis", der auf Hochcushitisch soviel wie „Allwissend" bedeutete. Gemeinsam hatten Pomphis und Kabatekh die weite Reise nordwärts zu dem legendären Cush gemacht. Dort sah Pomphis viele Wunder und große Pracht: die gewaltigen purpurnen Pyramiden, die schönen Städte mit ihren goldenen Turmspitzen, die gezähmten schwarzen Löwen und die rätselhaften, geheimnisvollen Menschen mit ihrer braunen Haut, dem üppigen Haar und den ungewöhnlichen gelben Augen. Die Cushiten glaubten, von den Mtembi ya Mbinguni, den Göttern des Kontinents Nyumbani, abzustammen. Trotzdem waren ihre Frauen sehr menschlich, wie Pomphis herausfand.

Obwohl er ein vielbeschäftigter Mann war, lehrte Khabatekh Pomphis eine beachtliche Menge seines gewaltigen Wissens über Magie und Zauberei. Und der Pygmäe stellte sich als gelehriger Schüler heraus.

Aber Khabatekh hielt es nie lange an einem Fleck, und so machten er und Pomphis sich zu der Bergwildnis südlich von Punt und Axum auf. Die Reise endete auf tragische Weise. Die beiden wurden von einer Räuberbande überfallen, und noch ehe Khabatekh dazu kam, einen Schutzzauber auszusprechen, hatte man ihn schon ermordet. Pomphis war es gelungen, den Gesetzlosen zu entkommen und hatte in den Wäldern fernab der Berge Zuflucht gefunden.

„Glücklicherweise“, schloß Pomphis, „hatte Khabatekh, der wie ein Vater zu mir war, mich gelehrt, im Wald zu überleben. Ironisch, nicht wahr, daß ein Batumi ausgerechnet das von einem Angehörigen der ältesten Zivilisation in Nyumbani lernte.“

Nach einer Weile angespannten Schweigens fragte Pomphis Imaro: „Und was brachte dich, o Krieger, an diesen namenlosen Ort – zu meinem Glück, wie ich betonen möchte.“

Imaro war von den Mwambutussi, den grausamen Oberherrn des Königreichs Rwanda, gefangengenommen worden, um Frondienste in ihren Minen zu verrichten. Aber ein Ilyassai ist kein gefügiger Sklave. Innerhalb eines Monats war er frei, nachdem er die Sklaven zu einer Revolte angeführt hatte. Ihr Erfolg war jedoch nicht allein der schier unvorstellbaren Stärke und dem Mut ihres Anführers zuzuschreiben, sondern auch dem Überfall einer Horde Banditen, unter dem berüchtigten Gesetzlosen Rumanzila, der sofort das durch die Revolte entstandene Chaos nutzte, um das Gold der Mwambutussi zu rauben.

In den Wirren des blutigen Gemetzels schlossen Imaro und Rumanzila einen Pakt. Die Exsklaven sollten sich Rumanzilas Bande anschließend. Es war genug Gold und anderes erbeutet worden, um alle zufriedenzustellen. Und außerdem lockte die Aussicht auf weiteres Raubgut. Die derart neu zusammengesetzte Bande war nun stark genug, um eine echte Gefahr für das gesamte Königreich Rwanda zu werden.

Mit seinem Beuteanteil hatte Imaro sich auch Tanisha, ein Kahutumädchen genommen, die die Geliebte des Minenaufsehers gewesen war, den er mit bloßen Händen getötet hatte. Und er schwor laut, daß er das gleiche mit jedem machen würde, der es wagen sollte, die Frau anzurühren, die er für sich bestimmt hatte.

Unausbleiblich war es zu Streitigkeiten zwischen dieser buntgewürfelten Meute von Banditen gekommen. Für zwei Führer vom Format Imaros und Rumanzilas hätte es selbst in einem Weltreich nicht genug Platz nebeneinander gegeben, geschweige denn in einer Horde Gesetzloser. Eine belanglose Meinungsverschiedenheit führte schließlich zu einem Zweikampf auf Leben und Tod. Imaro war daraus siegreich hervorgegangen. Seine Kraft und Geschicklichkeit hatten über die Schläue und Erfahrung des älteren Mannes triumphiert. Keiner wagte es, Imaros Recht auf die Stellung als alleiniger Führer der Bande anzuzweifeln. Das heißt, keiner, bis Bomunu, ein verschlagener Verbannter aus dem Küstenkönigreich Zanj, begehrliche Augen auf die üppigen Formen Tanishas warf . . .

Imaro war kein Stratege, aber seine Tollkühnheit machte diesen Mangel wett. Bald wurden seine erbarmungslosen Überfälle zur Geißel Rwandas, Ulindus und selbst des mächtigen Grenzlands Azanien. Zur Niederwerfung der Bande ausgeschickte Armeen wurden in alle Winde verjagt, das heißt, das was von ihnen übrigblieb. Erst der Verrat Bomunus führte zum Sturz des aufgehenden Sternes Imaro.

Heimlich hatte der Mann aus Zanj sich mit Rwanda und Azanien in Verbindung gesetzt, um ihnen seine Kameraden ans Messer zu liefern. In seiner Vertrauensstellung als Hauptmann, war Bomunu wie kein anderer dazu in der Lage.

Unter Vorspiegelung falscher Tatsachen hatte Bomunu die Gesetzlosen in eine tödliche Falle geführt, und so wurden sie in einem Sacktal in der Nähe des tosenden Flusses Kakassa von einer geballten Übermacht azanischer und rwandischer Truppen niedergemetzelt.

Wie abgemacht, konnte Bomunu mit einem Sack azanischer Diamanten unter einem und Tanisha unter dem anderen Arm entkommen. Er machte sich auf den Weg zu den Soudanischen Königreichen im Westen, um dort, wo man ihn nicht kannte, als reicher Mann ein neues Leben anzufangen. Nur etwas hatte er in seinem Plan nicht bedacht: daß von den fünftausend Banditen, die am Kakassa in die Falle gegangen waren, ausgerechnet Imaro mit dem Leben davonkommen könnte.

Dem Ilyassai war es gelungen, dem Massaker zu entgehen. Sein Herz war schwer von dem Verlust all der Männer, die ihm vertraut hatten, und der Haß auf Bomunu, den Verräter, glühte in ihm. Und so machte er sich auf den Weg, dem Mann nachzusetzen, der seine

Liebste geraubt hatte. Er war den beiden über die Berge von Rwanda und in diesen Dschungel gefolgt, wo er auf Pomphis und die weißen Folterknechte gestoßen war.

„Und ich werde sie weiter verfolgen, bis ich sie erwischt habe", erklärte Imaro grimmig. „Dann wird die Rache mein sein!"

Als Pomphis die finstere Miene des Barbaren betrachtete, zögerte er, ihm zu erzählen, was er vor seiner Gefangennahme gesehen hatte. Dieser Schwarze war ein Bandit und Mörder wie die Männer, die Khabatekh getötet hatten. Aber er hatte sein, Pomphis, Leben gerettet.

Der Pygmäe richtete sich zu seinen vollen vier Fuß und sechs Zoll auf und sagte: „Ich glaube, ich kann dir helfen."

„Du hast sie gesehen?" Imaro horchte auf. „Wo sind sie? Verdammt, spricht schon!" Heftig packte er den Zwerg an der Schulter, aber eine geübte Drehung Pomphis löste seinen Griff.

„Nicht zu grob, Krieger", sagte er ruhig. „Ich werde dir sagen, was ich über die weiß, die du suchst. Es ist nicht nötig, daß du Hand an mich legst."

Imaro versuchte, sich zu beruhigen, aber nach wie vor ballte und öffnete er die Fäuste. Sein Schweigen galt als seine Entschudligung.

Pomphis berichtete ihm, daß er gesehen hatte, wie ein hochgewachsener, verschlagen aussehender Mann und eine Frau mit breiten Hüften von weißhäutigen, gerüsteten Fremden, ähnlich den jetzt toten auf der Lichtung, gefangengenommen worden waren. Man hatte sie in westliche Richtung geschleppt.

„Die Spur ist noch frisch", sagte Pomphis. „Wir dürften keine Schwierigkeit haben, ihr zu folgen."

Imaro bemerkte, daß der Pygmäe „wir" gesagt hatte,

aber seine ganze Erwiderung war: „Gut. Dann wollen wir aufbrechen."

Mit einem letzten Blick auf die bereits mit Fliegen übersäten Leichen murmelte der Schwarze: „Nie zuvor sah ich Männer wie sie. Was, glaubst du, sind sie?"

„Ihrem Aussehen nach", erwiderte Pomphis nachdenklich, „könnten sie Mizungu von Atlantis sein. Aber sie wurden schon vor Jahrhunderten aus Nyumbani vertrieben."

„Mizungu! Atlantis!" Plötzlich, in einer blitzartigen Halberinnerung wurde Imaro der Grund des unbewußten Abscheus klar, den er für diese bleichen Schädelträger empfunden hatte . . . Obgleich der kataklysmische Krieg zwischen den Weißen von Atlantis und den Schwarzen von Nyumbani schon tausend Jahre zurücklag, waren die durch ihn geschlagenen Wunden noch immer nicht vernarbt. Bilder dieser blutigen Auseinandersetzung schoben sich flüchtig vor sein inneres Auge. Er sah den Sieg der Mashtataan über die Himmelswandler; die Invasion der weißen Dämonenhorden über dem Westmeer; sah, wie die grausamen Atlanter und ihre barbarischen Verbündeten aus Thule die Westküste verwüsteten, die Dschungelreiche südlich von Otongi verheerten und das Atassaigebirge überquerten, um das Unheil über die weiten Steppenlande zu tragen. Obgleich die Männer von Nyumbani tapfer und geschickt gekämpft hatten, hatten doch die schreckerregenden Kampftiere und magischen Waffen den Atlantern einen scheinbar unübertrefflichen Vorteil verschafft.

Doch dann hatten die Cushiten eine Möglichkeit gefunden, die Himmelswandler zur Hilfe zu rufen. Diese Titanen schleuderten die Mashataan aus der Dimensionsebene der Erde und neutralisierten so die Kräfte der mizungischen Zaubermittel. Ganz Nyumbani hatte sich vereint und die Mizungu in einer Reihe von Schlachten zum Meer und nach Atlantis zurückgetrieben. Die, die zurückblieben, wurden erbarmungslos niedergemacht, denn die Greuel, die sie in Nyumbani verübt hatten, waren nicht vergessen.

Einige waren dem Gemetzel entgangen und hatten Zuflucht in den unzugänglichsten Winkeln des Schwarzen Kontinents gefunden. Imaro und Pomphis nahmen an, daß diese weißhäutigen Männer überlebende Mizungu waren. Doch ihre Reaktion darauf war unterschiedlich.

Pomphis war lediglich interessiert, neugierig. Unter Khabatekhs Leitung hatte er die Geschichte des Mizungukriegs studiert und gelernt, daß die Atlanter von einer falschen, durch die Mashataan korrumpierten Priesterschaft zum Angriff aufgewiegelt worden waren. Pomphis fragte sich, in welchem Ausmaß diese überlebenden Mizungu ihren tragischen, falschen Glauben beibehalten hatten.

Imaro wußte nichts von der cushitischen Geschichte dieses Krieges. Sein Wissen kam von Überlieferungen, die vereinfacht und verzerrt am Lagerfeuer weitergegeben worden waren. Für ihn waren die Mizungu eben Mizungu: Teufel von Atlantis, die zu verabscheuen waren, und zwar nicht viel weniger als die Mashataan selbst.

Der schwarze Krieger knurrte: „Möglicherweise suchen bereits andere ihrer Art nach diesen Hunden. Wir sollten lieber von hier verschwinden."

„Ganz meiner Meinung", pflichtete Pomphis ihm bei. „Diese Mizungu leben vermutlich ganz in der Nähe, und sicher haben sie Tanisha und Bomunu in ihre Behausung verschleppt."

Imaro nickte. „Wir folgen ihnen, selbst wenn ihre Fährte an Motoni vorbeiführt."

Pomphis rollte die Augen himmelwärts. Durch den Alten Kodex war er verpflichtet, diesen übergroßen Wahnsinnigen zu begleiten, selbst, wie er gesagt hatte, durch Motoni, diese endlose Vulkankette am Nordrand des Kontinets.

„In den Chroniken von Nabatti", sagte Pomphis überlegend, „stieß ich auf die bruchstückhafte Überlieferung der Legende einer atlantischen Stadt, die auf wundersame Weise die Jahrhunderte überdauerte. ‚M'ji Ya Wazimu', wurde sie genannt, ‚Stadt des Wahnsinns'. Ich frage mich, ob diese Legende der Wahrheit entspricht."

„Wir werden es bald herausfinden", knurrte Imaro.

4.

Im blendenden Schein des Mondes lag die Stadt wie ein vor sich hin brütendes gewaltiges Nachtungeheuer. Aber die beiden Männer, die zum Tor schlichen, hatten sie bereits bei Tageslicht gesehen und wußten, daß sie nicht viel mehr als eine Ruine war, bewohnt von den Überresten eines sterbenden Volkes. Imaro und Pomphis hatten die mit Rissen und Spalten durchzogenen Mauern und die geborstenen Säulen atlantischer Bauweise betrachtet.

Auch Bomunu hatten sie entdeckt, oder vielmehr, was von ihm noch übrig war . . . Nie würde Imaro mehr Rache an ihm nehmen können, wie es seine Absicht gewesen war. Bomunus enthaupteter Rumpf steckte gepfählt auf einem eisernen Spieß, dessen Spitze als makabrer Kopfersatz aus dem Hals ragte. Die verschiedensten Foltern hatten den Körper so verstümmelt, daß nur der kunstvoll verzierte zanjianische Gürtel Imaro verriet, wer diese blutige Kreatur einst gewesen war. Bei dem Gedanken an den fehlenden Kopf fielen beiden die bemalten Schädel ein, die von der Mitte der Mizungukrieger gebaumelt hatten ...

Imaro war überzeugt, daß Tanisha noch lebte und sich in der zerfallenen Stadt befand. Von dem, was Pomphis über die Mizungukultur wußte, mußte der Pygmäe ihm beipflichten. Während die beiden Pläne schmiedeten, um in die Stadt zu gelangen, staunte Pomphis über den ständigen Stimmungsumschwung seines riesenhaften Gefährten. Wäre er noch der vor Wut tobende Wilde vom Vormittag gewesen, hätte Pomphis ihm ohne weiteres zugetraut, die Ruinenstadt einfach unüberlegt zu stürmen. Doch nun staunte der Bambuti über des Ilyassais äußerst vernünftigen Vorschläge. Er verstand jetzt, wie es diesem Mann möglich gewesen war, aus einer Meute von Mordbuben und Dieben eine schlagkräftige Räuberarmee zu machen.

Der einsame Wächter auf der zerbröckelnden Stadtmauer war nicht ausgesprochen pflichtbewußt. Wache wurde auch nur noch aus Tradition gehalten, denn die Tiere machten einen weiten Bogen um diese Stadt, und die Mizungu fürchteten keine Menschen, die sich hierher verirren mochten. Der Wächter machte es sich ein wenig bequemer und ärgerte sich darüber, daß er nicht an den Riten teilnehmen konnte, die jeden Augenblick beginnen mußten. Jahrzehnte waren vergangen, seit die letzten Schwarzen Fuß in das verborgene Gebiet der Atlanter gesetzt hatten. Von denen, die heute gefangengenommen worden waren, hing der Mann jetzt gepfählt vor dem Tor, und die Frau war der Mittelpunkt der bevorstehenden Zeremonie. So beschäftigt waren die Mizungu mit den Vorbereitungen für ihr Ritual, daß sie sich überhaupt keine Gedanken über die drei Soldaten machten, die nicht zurückgekehrt waren.

Ein plötzliches Geräusch riß den Wächter aus seinen Überlegungen. Er wirbelte herum und versuchte, sein

Schwert zu ziehen. Aber er war zu langsam. Ein muskelbepackter Arm legte sich wie eine Eisenstange um seinen Hals, und stählerne Finger hielten seinen Schwertarm unbeweglich fest.

Der Wächter war ein kräftiger, großer Mann, doch trotz all seiner Gegenwehr hielt der unsichtbare Angreifer ihn wie ein Kind fest. Als der mächtige Arm seine Gurgel zudrückte, versuchte der Mizungu eine Warnung auszustoßen, aber mehr als ein Röcheln wurde nicht mehr daraus. Ehe der Tod ihm die Augen trübte, sah er noch einen Mann von Kindergröße mit im Mondschein blitzenden Zähnen zu ihm hochgrinsen.

Da der Wächter fast so groß wie Imaro war, paßten seine Rüstung und sein Helm dem Schwarzen, auch wenn beides ein wenig drückte. So maskiert schritt er eilig die unkrautüberwucherte Straße entlang, in Richtung auf die Trommelschläge und den gespenstischen Singsang. Pomphis, neben ihm, huschte wie ein Geist durch die grotesken Schatten der eingestürzten Häuser. Imaro achtete darauf, seinen Blick nicht zu lange auf den Skulpturen an den Straßenseiten und den fremdartigen Zeichen an den Häuserwänden ruhen zu lassen, um nicht ihrem möglichen Zauberbann zu verfallen.

Trommeln und Geleiere kamen aus einem würfelförmigen Bauwerk am Ende der Straße. Es befand sich in einem besseren Zustand als der Rest der Gebäude dieser Stadt. Tatsächlich sah es aus, als wäre es dem Zahn der Zeit überhaupt nicht gelungen, an ihm zu nagen. Wie ein Schutzgeist dieses sterbenden Volkes kauerte das titanische Bauwerk in der Ruinenstadt.

Als die beiden Eindringlinge lautlos die Stufen zum gähnenden Portal des geheimnisvollen Gebäudes hochschritten, bemerkten sie, daß es, zumindest auf dieser Seite, kein einziges Fenster aufwies. Statt dessen war seine granitene Fassade mit kunstvollen Basreliefs verziert, die Szenen unbeschreiblicher Grausamkeit darstellten. Imaro knirschte bei dem Gedanken mit den Zähnen, welche Qualen die Unglücklichen hatten ausstehen müssen, die seit der Gründung dieser Stadt des Wahnsinns in diesen Tempel des Bösen geschleppt worden waren. Pomphis dachte traurig, daß die Mizungu hier den Sünden ihrer Vorväter nicht abgeschworen hatten.

Der Eingang war von nichts weiter bewacht als einem Paar steinernen Schlangenwesen, deren lange Hälse den Torbogen bildeten. An der Schwelle angekommen, spähten sie in eine dunkle, ganz aus Stein gehauene Halle und sahen an ihrem Ende einen flackernden Schein. Dieses Licht war ihr Ziel. Wie jagende Panther schlichen Imaro und Pomphis darauf zu.

5.

In den tanzenden Schatten verborgen, machten Pomphis und Imaro sich ein schnelles Bild von der Zeremonie, an der offenbar die gesamte Bevölkerung der Stadt teilnahm. Es waren alles Männer, und nackt, von den Schädeln um ihre Mitte abgesehen. Die Mizungu hopsten und sprangen auf eigenwillige Weise zum Schlag der Trommeln, und sie brüllten und kreischten scheinbar sinnlose Worte.

Obgleich sie vielleicht einst eine gutaussehende Rasse gewesen sein mochten, verrieten die Männer Zeichen fortgeschrittenen Verfalls. Die gerötete Haut schwabbelte in losen Lappen von ihren verweichlichten Leibern. Alle wirkten berauscht, als hätten sie die sinnberaubenden Dämpfe des Sumpflotos eingeatmet.

Doch lenkte nicht diese orgiastische Menge Imaros

und Pomphis' Aufmerksamkeit auf sich, sondern das, was sich in der Mitte der Tempelhalle befand.

Ein gewaltiger Thron erhob sich hinter dem hohen Altar. Diesen Thron nahm eine Skulptur von absto-ßender Häßlichkeit ein. Es war das aus fremdartigem, graugrünem Stein gehauene Abbild eines der ekelerregendsten Mashataan – eines Azuths!

Beim ersten Blick sah es wie eine monströse Art von Affe aus. Tatsächlich war der Azuth von der Mitte aufwärts gorillaähnlich, sah man von den riesigen Stoßzähnen ab, um die ihn selbst Nunda, der Säbelzahntiger beneidet hätte. Doch von der Mitte abwärts glich er eher einem Ziegenbock.

Die Azuth, Kreaturen der Mashataan, waren vor Äonen eine Geißel der Menschheit gewesen, bis Thutanas, ein cushitischer Wissenschaftler, den berühmten schwarzen Löwen züchtete, der den Azuth zum tödlichen Gegner wurde, und so gab es längst keine der Affenkreaturen mehr in Cush. Das Ungeheuer auf dem Thron war lediglich ein steinernes Abbild, aber es schien mit lüsternen Augen auf den Altar vor dem Thron zu stieren.

Auf diesem Altar lag Tanisha. Man hatte ihre Arme und Beine gespreizt festgebunden. Welch ästhetischen Anblick ihr nackter schwarzer Körper im Gegensatz zu den kränklichen, bleichen, schlaffhäutigen Mizungu bildete! Sie hatte üppige Rundungen und ein hübsches Gesicht, das von lockigem schwarzem Haar umrahmt war. Die prallen dunklen Brüste hoben sich, wenn sie keuchend atmete. Ihre braunen Augen blickten verzweifelt um sich, als ihre Qualen den Höhepunkt erreichen sollten. Hoffnungslos wand sie sich in ihren Fesseln – und erwartete ihr grauenvolles Geschick.

Der Hohepriester des Azuths hopste und hüpfte mit Bocksprüngen um den Altar herum. Er sah nicht anders aus als die anderen anwesenden Mizungu auch, er war lediglich um eine Spur größer als sie, und statt einem, baumelten acht schwarzbemalte Schädel von seiner Mitte – und in seinen knorrigen Händen hielt er einen weiteren, der frischbemalt war.

Plötzlich warf der Priester sich auf seine knochigen Knie. Er beschrieb einen langsamen Kreis mit dem frischen schwarzen Schädel, und rief das steinerne Abbild des Azuths mit Namen an, deren fremdartiger Klang Imaro die Haut auf dem Nacken aufstellte.

Er spürte, daß jetzt die richtige Zeit war, und so stupste er Pomphis ungeduldig mit dem Ellbogen.

Wie vom Katapult geschnellt, sprang der Zwerg in die fackelerhellte Tempelhalle. Mit lauter, tiefer Stimme stieß er Flüche und Verwünschungen in der gutturalen Sprache der Mizungu aus. Die Wirkung war beachtlich und ließ nicht auf sich warten.

Die gesamten Anwesenden hielten in ihrem Gehopse inne, und einen flüchtigen Augenblick standen sie wie erstarrt. Dann schrillten und kreischten sie hysterisch in ihrer Empörung. Mit Schaum vor dem aufgerissenen Mund sahen die Mizungu sich wild nach dem Blasphemisten um.

Mit einem boshaften Grinsen auf dem kindhaften Gesicht wiederholte Pomphis die empörenden Lästerungen mit noch lauterer Stimme. Jetzt entdeckten die Mizungu ihn. Wie ein Mann stürmten sie – trotz der verzweifelten Bemühungen des Priesters, sie zurückzuhalten – auf den Bambuti zu. Pomphis wirbelte herum und floh durch den dunklen Korridor. Er brachte eine Geschwindigkeit zustande, die unter den gegebenen Umständen nicht weiter verwunderlich war.

Imaro drückte sich gegen die Wand. Genau wie Pomphis es vorhergesagt hatte, rannten die Mizungu an ihm vorbei, ohne ihn zu bemerken, denn sie hatten nur den einen Gedanken, den Zwerg zu fangen, außerdem hob der Schwarze sich von der dunklen Wand kaum ab.

Imaro wartete bis alle den Tempel verlassen hatten, dann erst betrat er die Tempelhalle.

6.

Der Priester hob den Kopf bei dieser neuerlichen Unterbrechung. Ungläubig starrte er den Eindringling an, der zwar atlantische Rüstung trug, dessen Arme und Beine aber viel zu schwarz waren, als daß er seiner Rasse angehören konnte. Tanisha, die auf den Altar gebunden war, erkannte Imaro nicht.

Da ihm sofort klar war, daß er gegen den schwarzen Riesen nichts ausrichten konnte, blieb dem Priester nur eine Chance: die Zeremonie zu Ende zu führen. Dazu blieben ihm jedoch lediglich noch Herzschläge. Mit Blitzesschnelle schleuderte der Hohepriester den frischen schwarzen Schädel geradewegs gegen die kauernde Statue des Azuths. Es hatte erstaunliche Folgen.

Als der Schädel mit dem Stein in Berührung kam, zerbarst er in unzählige Stücke, die in alle Richtungen flogen.

Imaro hielt mitten im Schritt inne. Ungläubig sah er, daß sich aus dem platzenden Schädel eine schleierfeine Substanz gelöst hatte, die sich jetzt zu einer mensclichen Gestalt formte. Flammende Augenschlitze richteten sich auf Imaro. Nach und nach verschmolz das Schleierwesen mit dem steinernen Abbild des Azuths. Und als die Statue diese Schattensubstanz voll in sich aufgenommen hatte, fand eine grauenvolle Verwandlung mit ihr statt. Der graugrüne Stein wurde zu lebendem, atmendem Fleisch!

Namenloses Grauen griff nach Imaro und drohte ihn zu überwältigen. Dem Krieger kam der Gedanke, daß dieser frische, neue Schädel nur einem gehören konnte. Nur einem traute er diese bösartigen Augen des schleierartigen Geistwesens zu. Die hauchfeine Substanz, die nun ganz von der Skulptur aufgesogen war, konnte nur das *N'kaa*, der Todesgeist seines Feindes Bomunu sein. Der Priester hatte Bomunus N'kaa jetzt aus seinem durch Zauber geschaffenen Gefängnis befreit. Und der Grimm der verlorenen Seele, die nun den Azuth belebte, war gegen Imaro gerichtet.

Gewaltige Stränge, im wahrsten Sinne des Wortes, steinharter Muskeln wanden sich über Arme und Schultern des Azuths, der gegenwärtig Bomunu war. Er bewegte sich auf dem Steinthron, öffnete den Rachen mit den Säbelzähnen und brüllte. Und dieser Schrei hallte schreckerregend durch die große Halle.

Mit eiserner Entschlossenheit unterdrückte Imaro seine Angst. Wenn dieses monströse Ding tatsächlich Bomunu war, dann wußte er wenigstens, gegen wen er kämpfte. Und was er für den Verräter empfand, war alles andere als Furcht ...

Tanisha beobachtete voll Grauen die Geschehnisse. Kalter Schweiß perlte auf ihrem unvergleichbaren Körper. Sie fiel in Ohnmacht.

Imaro handelte, als der Azuth von seinem Thron hüpfte und mit klappernden Hufen auf dem Steinboden landete. Der schwarze Krieger stieß den Kriegsschrei der Ilyassai aus und sprang seinem dämonischen Widersacher entgegen. Ein gräßliches Grinsen überzog die affenähnliche Visage des Ungeheuers, als es auf den Barbaren zukam. Trotz der scheinbar schwerfälligen Masse seines sieben Fuß großen mißgestalteten Körpers bewegte es sich flink und geschmeidig, und aus den Augen sprach eine Intelligenz, wie sie unmöglich einem Tier zu eigen sein konnte. Ja, es waren Bomunus Augen ...

Imaro schwang seinen Krummsäbel gegen des Azuths Bauch. Es war ein Hieb, der die Gedärme hätte bloßlegen müssen – aber er erreichte sein Ziel nicht. Mit unvorstellbarer Schnelligkeit stieß das Monstrum einen Huf hoch, und Imaros Klinge wirbelte durch die Luft. Ein zweiter Tritt traf des Ilyassais Seite. Er hätte die Rippen jedes anderen Menschen gebrochen, nicht aber die des riesigen Schwarzen.

Den dritten Tritt stoppte Imaros kobraflinke Hand in der Luft. Der Barbar hielt das Fußgelenk fest und hieb mit dem Fuß gegen das Ziegenbein, daß der Azuth den Halt verlor und mit aller Wucht auf den Steinboden krachte. Imaro sprang auf das gefallene Ungeheuer und schlug seine schlegelgleiche Faust zweimal auf den klaffenden Rachen herab. Sie leistete gute Arbeit. Azuths Säbelzähne brachen.

Vor Schmerz heulend, schlug das Ungeheuer zurück. Ein Schwung seines mächtigen Armes ließ Imaro zehn Fuß durch die Luft fliegen.

Obwohl er sehr heftig aufgeschlagen war, kam der Schwarze gleich wieder auf die Füße und stapfte drohend auf seinen Gegner zu. Doch beide hatten jetzt ein wenig mehr Respekt voreinander. Imaro wußte, daß er ohne seinen Dolch nichts gegen diesen beachtlichen Gegner ausrichten konnte, denn mit bloßen Händen war dem Azuth nicht beizukommen. Er wollte die Klinge aus der Scheide am Gürtel ziehen – aber sie war leer! Zu spät erinnerte er sich, daß er Pomphis den Dolch überlassen hatte, falls er sich gegen die Mizungu wehren müßte.

Der Azuth bemerkte die momentane geistige Abwesenheit des Barbaren. Hufklappernd eilte er auf ihn zu. Er legte die mächtigen Arme um ihn und preßte ihn mit atemberaubender Kraft an sich. Imaro wehrte sich heftig, war jedoch nicht imstande, sich aus dieser Umklammerung zu befreien. Noch fester drückte der Azuth zu und starrte triumphierend mit Bomunus Augen auf Imaro. Doch der Barbar gab nicht auf. Wenn er nur seine Arme befreien könnte, ehe das Ungeheuer ihm die Luft aus dem Leib quetschte ... Er war dankbar für die schützende Rüstung, auch wenn die verdammten Mizungu sie hergestellt hatten ...

Plötzlich bemerkte der Azuth, daß Imaro ihm zu entgleiten drohte. Er hob den riesenhaften Schwarzen wie ein kleines Kind hoch und schmetterte ihn gegen die nächste Wand. Der Aufprall raubte Imaro fast die Sinne. Sein Kopf schien vor Schmerz zu explodieren. Trotzdem kämpfte er zäh weiter und stemmte seine Arme gegen die Brust des Azuths.

Aber immer wieder schmetterte das Ungeheuer den Barbaren gegen die Wand. Nur der metallene Helm hatte bisher verhindert, daß sein Kopf zermalmt wurde. Doch jetzt löste sich der Helm.

Die Schwärze der Ohnmacht tastete nach Imaros Bewußtsein. Es war ihm klar, daß er nicht noch viel mehr aushalten konnte. Er mußte frei kommen. Mit schier übermenschlicher Anstrengung, die er der Notreserve seiner barbarischen Vitalität verdankte, löste er sich aus des Azuths Griff. Seine Fäuste hämmerten gegen den tierischen Schädel, geradewegs auf die Ohren. Aufheulend wich das Ungeheuer zurück. Mit einer Instinktbewegung stieß Imaro mit beiden Füßen zu, als er auf den Boden glitt. Dumpf hörte er das Ungeheuer rückwärts stolpern und ein Dutzend Fuß entfernt auf den Boden stürzen. Mühsam taumelte Imaro auf die Füße.

Sein Kopf schien sich zu drehen, und sein Blut pochte schmerzhaft durch die Adern. Aber er lebte, und er konnte noch kämpfen. Schon kam der Azuth wieder auf ihn zu, wenn auch sehr langsam. Obgleich aus Rachen und Ohren Blut sickerte, wußte der Ilyassai doch, daß seine Schmerzen schlimmer waren als die des Ungeheuers, aber genauso klar war ihm, daß in des Azuths unbezwingbarem Leib das N'kaa Bomunus steckte. Und er bemerkte auch eine Spur von Angst in den Augen des Gegners.

Plötzlich kam Imaro ein Gedanke.

„Bomunu!" brüllte er.

Der Azuth blieb abrupt stehen, als er seinen wahren Namen hörte.

„Bomunu!" rief Imaro erneut. „Verräter! Feigling! Selbst in der Haut einer Dämonenbestie kannst du nicht hoffen, mich zu besiegen. Du, der du das Leben von fünftausend Männern für eine Handvoll Diamanten verkauftest! Elender Frauendieb! Selbst wenn du im Körper Varingas, des Sumpfdrachens stecktest, würde ich den Boden mit deinem nutzlosen Kadaver fegen. Komm! Wir wollen sehen, ob du es wagst, dich mit einem *Mann* zu messen!"

Imaros Herausforderung erzielte die gewünschte Wirkung. Da ihm klar war, daß er gegen den übermächtigen Azuth in einem Kampf ohne Waffen nichts ausrichten konnte, hatte er schlau den Teil gereizt, der Bomunu war. Wutschäumend über des Feindes Worte, brüllte der Azuth jetzt auf, senkte den Tierschädel und stürmte auf den Barbaren zu, als wollte er ihn rammen.

Im letztmöglichen Moment duckte der Schwarze sich jedoch unter einem der ausgestreckten Arme hindurch und packte das dicke Handgelenk. Sich auf den Fersen drehend, sah er zu, wie die Wucht des Ansturms den Azuth geradewegs an die Wand schmetterte.

Benommen stolperte das Ungeheuer auf seinen Hufen. Doch noch ehe es sich rühren konnte, sprang Imaro ihn wie ein Panther an und landete auf dem breiten Rükken. Sofort klammerte er die Beine um den hängenden

Tierbauch. Dann legte er die Hände um das Affenkinn und zerrte des Azuths Schädel mit aller Kraft zurück. Fester und fester zog er, in seiner Bemühung, der Kreatur den Hals zu brechen. Gleichzeitig langte der Azuth mit den langen Armen zurück und versuchte, den Gegner von seinem Rücken zu reißen. Aber Imaros Beine hielten ihn wie ein Schraubstock, und seine Arme zogen den Tierschädel immer weiter zurück.

Muskelstränge quollen und wanden sich auf Imaros Rücken und Schultern, als er noch mehr Kraft anwandte, einmal hatte er M'boa, dem Büffel, den Hals umgedreht, und des Azuths Hals war nicht dicker als M'boas . . .

Jetzt erfüllte den Teil des Ungeheuers, der Bomunu war, verzweifelte Angst. Noch stärker zog der Feind auf seinem Rücken an seinem Kopf. Die Halswirbel begannen bereits zu knirschen. Ein würgender Schrei entrang sich Azuths gequälter Kehle. Es war der Schrei eines sterbenden Tieres.

Ein letzter Ruck mit schier übermenschlicher Kraft, und des Azuths Hals brach wie ein vom Sturm geknickter Baum. Noch während das Ungeheuer nach vorn fiel, spürte Imaro, wie das schwitzende Fleisch sich zu Stein zurückverwandelte. Nachdem es zum zweitenmal gestorben war, wurde Bomunus N'kaa nun in die Todeshalle der Mashataan geholt. Imaro taumelte zur Seite, als der Azuth auf den Boden polterte. Gleich darauf war der Gott der Mizungu nicht mehr als ein Trümmerhaufen.

Der Ilyassai bemühte sich, bei Besinnung zu bleiben und sich aufzurichten. Aber die Kämpfe des vergangenen Tages, die weite Strecke, die er zurückgelegt hatte, und schließlich die ungeheuerliche Anstrengung des Kampfes gegen den Azuth hatten selbst Imaros Kräfte und Ausdauer erschöpft. Er fiel auf den Boden, wo er keuchend liegenblieb.

Und so kam er nicht dazu, seinen Triumph, seine Rache über Bomunu auszukosten. Aber er spürte, daß sich jemand hinter ihm befand, und drehte mühsam den schmerzenden Kopf. Er sah den Priester der Mizungu sich über ihn beugen. Sein Gesicht war vor unbeschreiblichem Haß verzerrt – und in der Hand hielt er Imaros Krummsäbel!

7.

Hoch über den Kopf mit dem strähnigen Haar hob der Mizungu den Säbel, um ihn zum Todeshieb auf diesen schwarzen Eindringling herabsausen zu lassen, der es gewagt hatte, seinen Tempel zu entweihen und seinen Gott zu töten. Imaros Reflexe waren vor Erschöpfung langsam, trotzdem gelang es ihm, dem Hieb auszuweichen.

Plötzlich schrie der Mizungu auf, mehr vor Überraschung als Schmerz. Seine Augen quollen aus den Höhlen, und Imaros Säbel entglitt den schlaffen Fingern. Aus seinem Rücken ragte der Griff eines tief eingedrungenen Dolches! Und hinter der Leiche stand kein anderer als Pomphis.

Ausnahmsweise grinste der Pygmäe einmal nicht. Seine Züge verrieten Sorge, als er Imaro auf die Füße half. Mit sich fast überschlagender Stimme fragte er:

„Hast du denn das Mädchen noch nicht losgeschnitten, Mann? Wir müssen hier verschwinden, ehe dieser tobende Mob zurückkehrt!"

Jetzt erst schien er den Zustand des Barbaren zu bemerken. „Was, in M'tungis Namen, ist denn mit dir passiert?"

Da er zu erschöpft zum Sprechen war, deutete Imaro lediglich auf den leeren Thron und dann auf die Trümmerstücke des steinernen Azuths. Der Bambuti verstand sofort. Durch seinen cushitischen Mentor kannte Pomphis ein halbes Dutzend Möglichkeiten, einem starren Gegenstand zeitweilig Leben zu verleihen.

Mühsamen Schrittes trat Imaro an den Altar, auf dem die gefesselte Tanisha lag. Er spürte bereits, wie die Kraft allmählich in seinen Körper zurückfloß. Die Wiederherstellungskräfte der Ilyassai waren so legendär wie ihre kriegerischen Fähigkeiten.

Gnädigerweise hatte des Mädchens Ohnmacht während des gesamten epischen Kampfes Imaros mit dem Azuth angehalten. Erst jetzt begannen ihre Lider zu zucken. Als der Schwarze die ledernen Bande durchtrennte, stöhnte sie. Dann öffnete sie verwirrt die Augen. Was sie sah, war eine verschwommene Erscheinung mit den blutigen Zügen Imaros auf einem Körper in Mizungurüstung, und einem Krummsäbel in der Prankenhand.

War es ein Wunder, daß Tanisha mit einem schrillen Schrei erneut in Ohnmacht sank?

Pomphis, der Imaro zum Altar gefolgt war, schnaubte verärgert: „Jetzt müssen wir sie auch noch tragen! Beeil dich, Mann, wir haben nicht mehr die ganze Nacht!"

Der Ilyassai wollte gereizt antworten, als der Tumult der zurückkehrenden Mizungu wie eine Flutwelle durch die äußere Halle brandete.

„Zu spät!" stöhnte Pomphis.

Imaro mußte ihm beipflichten. „Aber ehe wir fallen, werden wir noch eine Menge dieser Teufel in den Tod schicken!" brummte er.

Die ersten der Mizunguhorde drängten sich aus der Dunkelheit in Sicht. Viele hatten sich mit langen Schwertern und gefährlich aussehenden Krummdolchen bewaffnet.

Imaro schwang drohend seinen Säbel und forderte die Mizungu auf, durch seine Klinge zu sterben, falls sie sich heranwagten. Pomphis stellte eine trutzige kleine Gestalt dar, aber insgeheim wünschte er sich, er wäre anderswo.

Weitere Mizungu kamen in den Tempel. Als sie sahen, daß ihr Priester tot und ihr Gott vernichtet war, kannte ihre Wut keine Grenzen mehr. Wie ein Mann stürzten sie durch die Tempelhalle, um die Dunkelhäutigen in Stücke zu reißen.

Imaro sah die schwarzen Schädel von der Mitte der Anstürmenden baumeln. Ich darf nicht vergessen, Tanisha zu töten, ehe sie erneut diesen Teufeln in die Hände fällt, dachte er ... DIE SCHÄDEL! Plötzlich fiel ihm ein, was geschehen war, als der Priester Bomunus Kopf zerschmettert hatte, und er erinnerte sich auch, was er in den Reliefszenen auf der äußeren Tempelwand gesehen hatte ...

Imaro rannte in weiten Sätzen zur Leiche des Priesters. Während Pomphis ihm verblüfft nachschaute, zerschlug er systematisch all die Schädel, die an dem toten Priester hingen.

Wie das N'kaa Bomunus wandten die hauchdünnen Wesenheiten ihren funkelnden Blick auf Imaro. Aber er wußte, daß er von ihnen nichts zu befürchten hatte. Tatsächlich schienen diese N'kaas ihm ihre Dankbarkeit auszudrücken. Denn diese Geistwesen waren die letzten des Volkes, das einst hier gelebt hatte, ehe die Mizungu es ausrotteten und sich hier ansiedelten. Irgendwie war es den atlantischen Priestern gelungen, die Lebenskraft zu zügeln, so daß die Mizungu viele Jahrunderte leben konnten, ohne merklich zu altern.

Die N'kaas dieses bedauernswerten, alten Volkes begehrten nun ihre Rache, die schrecklicher war, als Imaro sie sich je hätte vorstellen können.

Die Geistwesen fielen über die panikerfüllten Mizungu her. Sobald die N'kaas völlig mit einem Mizungu verschmolzen waren, begann jeder der Wirte einen grotesken, wilden Tanz, der jeweils damit endete, daß er den Schädel von seiner Mitte riß, ihn auf dem Steinboden zerschmetterte, und so einen weiteren N'kaa freigab.

Während die N'kaas neue Wirte auswählten, versuchten die Mizungu die Flucht zu ergreifen und prallten in ihrer Panik gegeneinander. Immer aufs neue erschallte ein Knall, wenn ein weiterer Schädel barst. Und so kamen immer mehr N'kaas frei. Wie ein Rudel aufgescheuchten Wildes flohen die Mizungu aus dem Tempel.

„Es ist gefährlich, länger hier zu verweilen", mahnte Pomphis nervös. „Diese N'kaas haben gewiß nicht die Absicht, *uns* etwas anzutun, aber die Befreiung so vieler löst ungehcuere mystische Kräfte aus. Wir sollten uns schleunigst verziehen."

„Gut", knurrte Imaro. Er hob Tanisha auf und warf sie sich über die Schulter.

Pomphis schritt voraus aus dem Tempel, die Straße mit den Häuserruinen hoch, durch das zerfallene Tor, fort aus der sterbenden Stadt. Ihr längst fälliger Untergang stand bevor. Grauenvolle Schreie und das Poltern und Krachen einstürzender Mauern begleitete die Flucht der drei aus M'ji Wazimu, der Stadt des Wahnsinns . . .

Erst als sie weit, weit hinter ihnen zurücklag, hörten der Ilyassai und der Bambuti zu laufen auf.

8.

Der Mond schien noch hell durch die Baumwipfel, als Imaro, Pomphis und Tanisha sich auf einer Lichtung ausruhten. Die beiden Männer hatten ein Feuer gemacht, um auch kühnere Raubtiere fernzuhalten. Tanisha hatte das Bewußtsein wiedererlangt, jedoch nur blicklos vor sich hingestarrt – bis sie plötzlich gellend schrie.

Des Ilyassais Reaktion war einfach und direkt. Er versetzte Tanisha eine Backpfeife. Pomphis vermutete, daß hinter dieser Ohrfeige mehr steckte, als lediglich der Zweck, eine hysterische Frau zu beruhigen. Aber er hielt diskretes Schweigen für angebracht.

Aufkreischend sprang sie auf die Füße und schrie: „Wen, glaubst du eigentlich, daß du da schlägst, du Affentölpel! Wo sind wir überhaupt? Und wie bist du vom Kakassa fortgekommen?“

Imaro erzählte, wie er dem Gemetzel entgangen und Bomunus Fährte gefolgt war, und von den kürzlichen Ereignissen.

„Die Spuren verrieten, daß du dich nicht sehr gegen Bomunu gewehrt hast“, sagte er finster.

Tanisha stemmte die Hände auf die Hüften und entgegnete: „Er sagte, er würde mich umbringen, wenn ich nicht freiwillig mitkäme. Außerdem hielt ich dich für tot. Ich sah dich fallen, nachdem du die halbe azanische Armee erschlagen hattest.“

„Die Frauen meines Stammes“, knurrte Imaro, „würden sich das Leben nehmen, ehe sie sich von einem anderen als ihrem eigenen Mann berühren ließen!“

„Kanntest du auch nur eine, die es tat?“ fauchte Tanisha mit spöttischer Miene.

Imaro überlegte einen Augenblick, dann schüttelte er verneinend den Kopf.

Tanishas Züge wurden weich. Sie legte die Arme um Imaro, schmiegte ihren warmen Leib an seinen, und drückte ihren schwarzen Lockenkopf an seine breite Brust. Dann schaute sie zu ihm hoch und sagte:

„Armer Imaro. Stark genug, einen Elefanten zu besiegen, aber was Frauen betrifft, muß er noch viel lernen!“

Der Ilyassai verschloß ihr die Lippen mit einem leidenschaftlichen Kuß.

Pomphis räusperte sich und sagte: „Es wird wohl das beste sein, wenn ich die erste Wache übernehme.“

Er wollte sich umdrehen, um seinen Worten die Tat folgen zu lassen, als Imaro ihn zurückhielt, um ihm eine Frage zu stellen, die ihn schon eine ganze Weile beschäftigte.

„Was hast du eigentlich diesen Mizungu im Tempel zugebrüllt, das sie so aufbrachte?“

Pomphis grinste über das ganze Kindergesicht. „Oh, nichts Besonderes. Du mußt wissen, daß der höchste Mshataan im atlantischen Pantheon M'wan-Thuu heißt. Also sagte ich in ihrer Sprache: ‚Mwa-Thuu frißt Giraffendung!‘ Das war der Schlachtruf unserer Vorfahren im Mizungukrieg . . .“

Zum erstenmal seit vielen Tagen warf Imaro den Kopf zurück und lachte schallend, bis ihm fast die Tränen kamen. Tanisha und Pomphis fielen in sein Gelächter ein. Die Erlebnisse dieser Nacht würden ihrer Erinnerung noch lange zu schaffen machen, aber jetzt fanden sie Erleichterung in diesem Lachen, das zu dem spöttisch herabschauenden Mond hinaufschallte.

Bitte beachten Sie die Vorschau auf der nächsten Seite.

Als TERRA FANTASY-Band 4 erscheint:

Prinz von Poseidonis

von L. Sprague de Camp

Abenteuer in der Welt der Atlanter

Die Abenteuer des Prinzen von Poseidonis

Seit Platos Zeit hat das untergegangene Atlantis die Phantasie der Menschen beschäftigt. Viele Autoren haben über dieses Thema geschrieben. Doch kaum einem ist es so gut gelungen, die zur Legende gewordene Geschichte des Atlanter-Reichs mit echtem Leben zu erfüllen, wie Lyon Sprague de Camp mit seiner Chronik von Poseidonis, zu der auch der vorliegende Roman gehört, der die Abenteuer des Prinzen von Poseidonis beinhaltet.
Das turbulente Geschehen nimmt seinen Anfang mit der Prophezeiung, daß die Götter den Untergang von Poseidonis beschlossen haben. Dieses drohende Schicksal von seiner Heimat abzuwenden ist Prinz Vakars Ziel. Mit einem Diener zieht er aus, um die Waffe zu finden, die die Götter am meisten fürchten – das Sternenmetall.
Obwohl sich alles gegen Vakar verschworen zu haben scheint – Mörder, Magier, Monstren und die Götter selbst –, gibt der junge Mann nicht auf, sondern erfüllt seine Mission. Er, der der Philosophie zugeneigt ist und nicht dem Kriegshandwerk, erweist sich als viel härter und listenreicher, als seine Gegner ahnen.

TERRA FANTASY erscheint alle zwei Monate und ist überall im Buchhandel, Zeitschriften- und Bahnhofsbuchhandel erhältlich.